CERDDI
DIC
YR HENDRE

Cynhaeaf

Castl Mihangel yn felyn
A'i niwl glas yng nghil y glyn,
O'r chwmwr draw'n arafäln
O hir ddôl'n oraidau
I wyll hwyr yn ymhelltau
Ar dasaed yn tryhhwfau,
Ei sichwe us ar y lôn
Yn blaen dde fru'i alwynion

Hanachdd danel yn ydlan,
Sôn mawr am hanesion mân,
A phawb o'r ffarged wedyn
Yn taro'i ghôt ar ei ghlin.

Mae fflwch o ŷd cum ghwd glo
i'm tyner bylffwwd deno
Yll dne'r ardd Mosiau cawwg,
Eisin a gwawn a dîm gwag.

Die.fum

CERDDI DIC YR HENDRE

DETHOLIAD O FARDDONIAETH
DIC JONES

gan
Ceri Wyn Jones

Gomer

Cyhoeddwyd yn 2010 gan Wasg Gomer, Llandysul, Ceredigion SA44 4JL.

ISBN 978 1 84851 204 7

Dymuna'r cyhoeddwyr gydnabod cymorth
Cyngor Llyfrau Cymru.

Argraffwyd a rhwymwyd yng Nghymru gan
Wasg Gomer, Llandysul, Ceredigion.

I

Jac ac Ethan,
y diweddaraf o wyrion yr Hendre.

Cydnabyddiaethau

Yr un yw fy niolchiadau i â rhai Gwasg Gomer yn achos y llyfr hwn. Rydym yn awyddus i gydnabod cydweithrediad y gweisg hynny a roddodd ganiatâd i ni atgynhyrchu'r cerddi hynny o eiddo Dic Jones nas cyhoeddwyd yn wreiddiol gan Wasg Gomer. Diolch felly i Undeb yr Annibynwyr (yn enw yr hen Wasg John Penry) ac i Wasg Gwynedd, ynghyd ag i'r cylchgrawn *Golwg*, lle y gwelwyd nifer o gerddi tair cyfrol olaf Dic Jones am y tro cyntaf.

Diolch hefyd i Louise Jones am ei gwaith teipio, ac i Gari Lloyd am ei waith cysodi; i Gary Evans am ddylunio'r siaced ac i Emyr Rhys Williams am lun y clawr. Rydym yn ddiolchgar hefyd i'r Prifardd Tudur Dylan Jones am gael benthyg y tudalennau llawysgrif, ac i'r Prifardd Idris Reynolds, cyfaill mawr i Dic Jones, am ei ofal yntau dros y proflenni ac am ei gyngor a'i gyfarwyddyd.

Ond mae'r diolch pennaf i deulu Dic yr Hendre am bob hynawsedd, ac i Siân, gweddw Dic, yn anad neb arall, am ei chydweithrediad caredig ymhob dim.

Ceri Wyn Jones

Cynnwys

Allan o *Caneuon Cynhaeaf* (Gwasg John Penry, 1969)

Allan o *Storom Awst* (Gwasg Gomer, 1978)

Allan o *Sgubo'r Storws* (Gwasg Gomer, 1986)

Allan o *Golwg Arall* (Gwasg Gomer, 2001)

Allan o *Golwg ar Gân* (Gwasg Gwynedd, 2002)

Allan o *Cadw Golwg* (Gwasg Gwynedd, 2005)

Cyflwyniad

Ar fore gwlyb o fis Ionawr 2009, roedd Dic Jones a minnau yn rhannu car ar y ffordd i Aberystwyth. Roedd gorchwyl digon anodd o'n blaenau, sef cyfrannu i raglen radio deyrnged i T. Llew Jones. Ond roedd yn orchwyl gweddus, ac yn ein hachos ni'n dau, yn orchwyl cwbl ddiffuant.

Un bore gwlyb o Awst saith mis yn ddiweddarach, roeddwn yn gyrru i'r stiwdio unwaith eto – ac ar fy mhen fy hun. A'r gorchwyl y tro hwn yr un mor weddus, yr un mor ddiffuant, sef teyrngedu Dic yr Hendre, Archdderwydd Cymru. Ond, os rhywbeth, roedd hwn yn waith anos. Wedi'r cwbl, roeddem i gyd wedi bod yn hen gyfarwydd â thalu teyrnged i Llew tra oedd e'n fyw: treuliodd ei flynyddoedd olaf yn cael ei ystyried yn un o'n hynafgwyr amlycaf, un o batriarchau'r llwyth.

Ond, ac er ei fod yn 75 mlwydd oed yn marw, nid oeddwn erioed wedi meddwl am Dic fel hen ddyn. Hyd yn oed o wybod am ei gluniau trafferthus ac am ei waeledd olaf, ni allwn lai na meddwl amdano fel y ffarmwr cydnerth hwnnw a ymgorfforai holl wydnwch annwyl a digyfaddawd bywyd, yr un a gredai taw gwerthoedd cadarnhaol oedd wrth wraidd y ddaear a'r ddynoliaeth fel ei gilydd; yr un a gredai, hyd yn oed yn ei oriau duaf, fod 'darn o'r haul draw yn rhywle.'

Yn wahanol i nifer, fel tad plant yr Hendre yr oeddwn i'n ei adnabod i gychwyn. Er bod gen i frith gof o Eisteddfod 1976, mae gen i gof cliriach o'i weld yn ei *overalls* a'i gap stabl yn gwylio Dafydd a Brychan yn chwarae rygbi i'r ysgol. Ond, er cymaint ein hoffter ni'n dau o chwaraeon – ac o gerddoriaeth, fel mae'n digwydd – barddoniaeth yn y pen draw oedd y tir cyffredin rhyngof i a Dic. A'r mwyaf y down i ymhél â'r byd barddoni, mewn talwrn ac eisteddfod neu gyfarfod mwy anffurfiol, y mwyaf ymwybodol y down o fawredd Dic, fel personoliaeth ac fel bardd.

Yn sicr, os oedd hierarchiaeth ym myd y beirdd, Dic oedd ar

ben yr ysgol honno, ac nid yn unig oherwydd yr hyn a gyflawnodd yn y gorffennol hwnnw cyn i mi ddod i'w adnabod. Na, roedd Dic yn gwybod, fel pob talyrnwr da, *'You're only as good as your last englyn.'* Ac roedd yr elfen gystadleuol honno, ynghyd â'i ddiddordeb yn yr hyn oedd yn digwydd heddiw, fel petai, yn fodd iddo barhau i loywi ei awen hyd at y diwedd. A'r awen honno, fel y dyn ei hun, yn cwmpasu'r ffraeth a'r ffwr'-â-hi, a'r seriws a'r sylweddol, mewn modd mor ymddangosiadol ddidrafferth, wrth iddo, fel pob crefftwr da, guddio'i grefftwaith.

Fy hoff gerdd i o'i eiddo, wel, a ddweud y gwir, fy hoff gerdd Gymraeg i, yw 'Gwanwyn' – neu, yn hytrach, 'Y Gwanwyn', oherwydd ar lafar gwlad, fel yn achos 'Meseia' Handel, fe aeth yr awdl fawr honno, ynghyd â'i phartneres 'Cynhaeaf', i hawlio yr 'Y' fawr o'i blaen. Mae popeth am greu'r awdl honno (yn goffâd i Alun Cilie), am chwedloniaeth ei chyhoeddi, ac am ei rhagoriaeth ymhob ffordd, yn tystio i'w ddawn a'i ddireidi a'i galon fawr. Ac wrth fwrw ati, ar gais caredig Gwasg Gomer, i lunio detholiad o gyfrolau barddoniaeth Dic Jones, fy ngobaith i oedd y byddai'r casgliad hwn yn ddathliad o'r un ddawn, yr un direidi a'r un galon fawr ag a brofais i, ac a brofwyd gan ei gynulleidfaoedd a'i ddarllenwyr ers cyhoeddi ei gyfrol gyntaf un, sef *Agor Grwn*, union hanner can mlynedd nôl i eleni.

Agor Grwn (1960)

Yn ei gyflwyniad i *Agor Grwn*, dyma a ddywed T. Llew Jones:

Bardd ifanc chwech ar hugain oed yw'r awdur, ond daeth i amlygrwydd cyn cyrraedd ei ugain trwy ennill Cadair Eisteddfod Genedlaethol yr Urdd. Y llynedd yn Llanbedr-pont-Steffan cadeiriwyd ef yn Brifardd yr Urdd am y pumed tro.

Ganed ef yn Nhaliesin ar y 30ain o Fawrth, 1934, ac wedi gyrfa ddisglair yn Ysgol Ramadeg Aberteifi, yn lle dilyn gyrfa golegol fel y disgwylid, penderfynodd lynu wrth y tir, ac ar hyn o bryd mae'n ffermio fferm yr Hendre, ym Mlaenannerch.

Ac yn yr Hendre, wrth gwrs, y bu Dic tan ddiwedd ei oes. Â Llew yn ei flaen:

> Yn fachgen ifanc iawn, yn Aelwyd yr Urdd Aber-porth, daeth o dan ddylanwad y Parch. Tegryn Davies, yr hwn a fu'n noddwr ac yn athro barddol iddo o'r cychwyn cyntaf.
>
> Yn ddiweddarach daeth Dic yn aelod llawn o'r gymdeithas ryfedd o feirdd cynganeddol sy'n bodoli yng ngodre sir Aberteifi ers blynyddoedd bellach...

Mae T. Llew yn rhy wylaidd i nodi ei ddylanwad mawr yntau ar y bardd ifanc, ac nid oes cyfeiriad penodol chwaith at Alun J. Jones, sef cyw melyn olaf y Cilie, y fferm anghyffredin honno uwchlaw Cwmtydu lle magodd y gof a'r bardd Jeremiah Jones (1855-1902) a'i wraig ddeuddeg o blant, chwech ohonynt yn feirdd gwlad tan gamp. Bu Alun Cilie yn athro barddol ac yn arwr mawr i'r 'bardd ifanc', ac mae Dic yntau, yn ei ragair, yn cydnabod yn hael ei ddyled i Llew, i Alun a'i frawd Isfoel, ac i Tydfor ap Siôr (nai i Alun ac Isfoel), gan ddweud,

> Rwyf wedi dod i gredu ers tro bellach mai ennill cymeradwyaeth y gymdeithas hon a'i bath yw'r uchaf gwobr ym myd llenyddiaeth.

Ac mae *Agor Grwn* yn llawn cerddi a fyddai wrth fodd y gymdeithas honno, yn gwpledi, englynion, cywyddau ac awdlau, ynghyd â cherddi mydr-ac-odl a sonedau, a hyd yn oed un gerdd yn y mesur rhydd ('Yr Arwr' tud. 14). Mae yma hefyd yr ystod o gyweiriau a ddeuai i nodweddu cyfrolau Dic, ynghyd â'r pynciau neu destunau a fyddai'n faes llafur iddo ar hyd ei yrfa fel bardd, sef pobl ei filltir sgwâr, ffordd o fyw cymuned cefn gwlad, a mynd a dod y tymhorau amaethyddol. Mae yma ganu mawl a chanu sbort, marwnadu a dathlu, ond hefyd cawn gipolwg ar y doethineb diymffrost e.e. yn nwy linell gyntaf soned agoriadol y gyfrol, sef 'I'm Cydnabod' (tud. 1):

Mae rhywbeth yn nghymdeithas dyn a dyn
Sy'n aros wedi'r ymwahano'r ddau.

Ac fel y gwna pob cyfrol yn ei thro, tystia *Agor Grwn* i newidiadau cymdeithasol a thechnolegol ei oes, gan osod y rheiny yng nghyd-destun ehangach grymoedd oesol y ddaear a'r bydysawd, fel yn y cerddi i draethau Aber-porth.

Caneuon Cynhaeaf (1969)

Yn Eisteddfod Genedlaethol Aberafan 1966 y cafwyd un o'r awdlau gorau erioed, gan 'un o'r cynganeddwyr gorau'n fyw' (chwedl un o'r beirniaid, D. J. Davies). Mae 'Cynhaeaf' Dic Jones yn deyrnged uniongyrchol, gywrain a gorfoleddus i berthynas dyn a'r pridd, ac fe enillodd iddo'r Gadair honno yr oedd wedi bod yn ei llygadu ers sawl blwyddyn. Fel y dywed y Parch. O. M. Lloyd yn ei froliant, daeth yr amaethwr yn agos iawn ati yn y Drenewydd 1965, ac mae *Caneuon Cynhaeaf* yn caniatáu i ni weld awdl ail orau'r eisteddfod honno, sef 'Yr Ymchwil', cerdd sydd unwaith eto, fel nifer o gerddi'r gyfrol, yn tystio i ymwybyddiaeth Dic o berthynas yr hen fyd â'r oes newydd, a'r modd y gall y naill beryglu a chyfoethogi'r llall.

Mae cymeriadau lleol yn britho'r gyfrol hon fel y lleill, ac mae'n eu cyfarch a'u teyrngedu, ni waeth beth fo'u galwedigaeth neu statws honedig, gyda'r un clasuroldeb arddull a'r un dyfeisgarwch syniadol ag a welir yng ngwaith Beirdd yr Uchelwyr. Fel hwythau, mae ef hefyd yn ymryson â'i gyd-feirdd yn y dull ffug-epig, gogleisiol hwnnw sy'n gallu dyrchafu a damnio yn yr un gwynt, e.e. yn ei ateb i'r cywydd hwnnw gan T. Llew Jones a ganai glod i'w fwyalchen ei hun (tud. 78), ymryson y bu Alun Cilie hefyd yn rhan ohoni. Ac fel Beirdd yr Uchelwyr eto, mae'n medru cywasgu gwirionedd mawr i ofod cynganeddol bach, a'i fynegi'n syml ac yn fachog, e.e.

Dealled ef a dwyllo
Na wrandewir ei wir o. ('Cwpledi' tud. 81)

Storom Awst (1978)

Ddeng mlynedd ar ôl 'Cynhaeaf', caed 'Gwanwyn', awdl ag iddi holl rinweddau ei chwaer fawr. Fe'i gosodwyd ar frig cystadleuaeth y Gadair yn Eisteddfod Genedlaethol Aberteifi 1976. Ond fel sy'n hen hysbys, ni chadeiriwyd Dic Jones am iddo dorri un o reolau sefydlog yr Eisteddfod, sef iddo fod yn aelod o'r pwyllgor llên lleol ar gyfer y Brifwyl honno a gynhelid ar garreg ei ddrws. Ond, cadair neu beidio, roedd yr awdl yn sefyll, ac ni fu fawr o dro cyn iddi fynd yn boblogaidd gyda'r gosodwyr cerdd dant (fel y gwnaeth nifer o gerddi Dic), ac mae ei hir-a-thoddeidiau gyda pheth o'r canu mwyaf godidog ac eciniedig yn yr iaith Gymraeg erioed.

Yn ôl cyflwyniad y Parch. D. J. Roberts i *Storom Awst*, yn y gyfrol hon 'fe gawn gynhaeaf Dic Jones ar ei brydferthaf a'i felysaf,' ac yn sicr mae rhyw anwyldeb anghyffredin yn treiddio trwy'r cerddi, boed ar lefel bersonol deuluol fel yn 'Cân Brychan' (tud. 108) neu wrth goffáu ffigwr cenedlaethol fel Ryan Davies yn 'Ymddiddan rhwng Fo a Fe' (tud. 151). Ond gwelir yma hefyd y dychan chwareus, a miniog weithiau, a ddaeth yn elfen amlycach yng ngwaith Dic wrth iddo heneiddio. Ac fe ddeilliai hyn o fydolwg unigryw yr Hendre, sef rhyw gymhathiad o athroniaeth synnwyr cyffredin a'r weledigaeth wreiddiol, gap-ar-dro, ac a fynegir mewn epigramau treiddgar ac agosatoch, e.e. yn 'Epigramau Dychanol' (tud. 112-113).

Sgubo'r Storws (1986)

Nid oes awdl yn *Sgubo'r Storws*. Ond yn y gyfrol hon y costrelir peth o ganu mwyaf teimladwy Dic Jones, a hon, mae'n debyg, o ran gwastadrwydd ei safon drwyddi, yw ei gyfrol unigol orau. Dyma gyfrol y golled fawr, a'r ymateb mawr i'r golled honno.

Priododd Dic a Siân (un o'i gyd-aelodau yn Aelwyd yr Urdd, Aber-porth) ym 1958, ac fe aned iddynt chwech o blant: Delyth, Rhian, Dafydd, Brychan a'r efeilliaid Tristan ac Esyllt. Roedd nam ar Esyllt o'i genedigaeth, ac yn drasig, bu farw â hithau ond yn dri mis oed. A chyfrol yn gyflwynedig i Tristan, ac er cof am Esyllt, yw *Sgubo'r Storws*. Cyfrol y byw a'r marw. Ynddi y cawn gerddi sy'n deillio'n uniongyrchol o'r profiad enbyd hwn, e.e. 'Galarnad' (tud. 178) a 'Miserere' (tud. 184), y naill yn ein hatgoffa taw 'Ei dawn i wylo yw gwerth dynoliaeth,' a'r llall wedyn yn argyhoeddiedig, er pob tywyllwch, fod 'gemog gwmwl hardd ei odre/uwch y niwl ...'. Ac mae optimistiaeth dawel ond dyrchafol y canfyddiadau hynny yn nodweddiadol o adnabyddiaeth ddofn ac aeddfed y bardd o'r cyflwr dynol yn ei holl gymhlethdodau a gofidiau, fel sydd hefyd yn dod i'r amlwg yn noethineb urddasol y penillion hir-a-thoddaid unigol sy'n rhan annatod o wead y gyfrol.

Ond *Sgubo'r Storws* hefyd yw cyfrol 'Hwch Ffynnon-cyff' (tud. 208), cerdd ysgafn sy'n nodweddiadol o ganu Dic fel bardd gwlad, un a allai roi ar gof a chadw ddigwyddiad lleol er difyrrwch y gymuned honno a adwaenai'r bardd cystal. A hon yw cyfrol 'Parc yr Arfau' (tud. 188), y molawd hwnnw sy'n amlygu ei hoffter oes o'r maes chwarae.

Golwg Arall (2001)

Ym 1988, gwahoddwyd Dic Jones i gyfrannu colofn i'r cylchgrawn newydd wythnosol *Golwg*. Am y ddwy flynedd gyntaf, ysgrifau a luniai, ond o 2000 hyd 2006, disgwylid iddo wedyn gyfrannu cerdd yn wythnosol i'r golofn a ailenwyd yn 'Bardd ar y Byd'. Ac roedd y golofn hon, yn ddiamau, yn un o uchafbwyntiau wythnosol y cylchgrawn. Cynhwyswyd detholiad o'r ysgrifau a'r farddoniaeth hyn yn *Golwg Arall*, ynghyd â cherddi achlysurol eraill, nifer ohonynt yn ffrwyth talwrn ac ymryson – ac mi roedd e, fel y gwyddwn o brofiad, yn dalyrnwr ac ymrysonwr gyda'r peryclaf. Bu'n aelod o dîm ymryson chwedlonol Sir Aberteifi, ac o dîm talwrn tra llwyddiannus Crannog ar y gyfres radio *Talwrn y Beirdd*, cyfres y bu yntau'n ei chadeirio am rai blynyddoedd.

Mae nifer o englynion mwyaf athrylithgar Dic i'w gweld yn y gyfrol hon, englynion sy'n cynnig golwg wirioneddol athronyddol ar bethau'r byd, ac sy'n llawn o'r rhesymegu paradocsaidd hwnnw yr oedd mor hoff ohono, e.e. 'Gweledigaeth' (tud. 237).

Roedd gan Dic ddiddordeb mawr yn y genhedlaeth honno o feirdd a'i olynai, ac fe ganodd eu clodydd ar sawl llwyfan. Cyferchir dau ohonynt yn *Golwg Arall*, ynghyd â thad un ohonynt, sef y Parch.

John Gwilym Jones, ar ei ddyrchafiad yn Archdderwydd, a hynny mewn cerdd sydd wedi ei gosod fel rhyddiaith ar y dudalen, ond sy'n gywydd crwn drwyddi (tud. 216).

Yn brawf pellach na fu i'r dwymyn gystadlu ddiflannu o enaid Dic, cynhwyswyd yn *Golwg Arall* y bryddest a anfonodd i gystadleuaeth y Goron yn Eisteddfod Genedlaethol Llanelli yn 2000, yn ogystal â'r casgliad o gerddi a anfonodd i gystadleuaeth y Gadair yn yr un Eisteddfod dan y ffugenw 'Yr Hen Heretic'. Daeth y casgliad o fewn trwch blewyn i ennill y Gadair, ac fe'i cynhwysir yn y detholiad hwn, ac ynddo mae'r dychanwr a'r sinig, yr heriwr a'r pryfociwr, yn trin y gynghanedd a'r mesurau traddodiadol gyda naturioldeb llafar ac ystwythder i'w ryfeddu.

Mae'n deg dweud i gerddi cynganeddol Dic fynd yn fwy llafar eu rhythmau a'u cystrawennau wrth iddo fynd yn hŷn, fel tasai'n ddigon bodlon bellach i beidio â gorfod mabwysiadu llais mor ffurfiol, neu nodweddiadol farddonol, wrth iddo ddweud ei ddweud.

Golwg ar Gân (2002) a *Cadw Golwg* (2005)

Manteisiodd dwy gyfrol olaf Dic hefyd ar gynnyrch y golofn honno yn *Golwg*. Os rhywbeth, roedd y cerddi hyn yn fwy newyddiadurol ac yn fwy dibynnol ar benawdau cyfredol y papurau newydd a'r cyfryngau torfol. Bu diddordeb mawr gan Dic yng nghwrs y byd erioed. Mae ei gyfrolau oll yn llawn cyfeiriadau at ddatblygiadau'r oes, gan na fu Dic yn un i hiraethu'n ormodol am yr hyn a fu – yn wahanol efallai i'r ddelwedd o'r bardd gwlad traddodiadol a ganai gnul yr hen gymdeithas yn wastadol, ac a fynnai, fel petai, fod ceffyl ddoe yn well na thractor heddiw.

Mae yma gyfeiriadau at rym yr archfarchnadoedd; at dwyll a rhagrith y gwleidyddion (yn enwedig yng nghyd-destun y rhyfeloedd yn Irác ac Affganistan); ac at hurtrwydd rhai o ddeddfau Ewrop. Dethlir campau'r enwogion (rhai y tu hwnt i'w filltir sgwâr a'r tu hwnt i Gymru hefyd) fel Tanni Grey-Thompson ac Ellen MacArthur, ond nid anghofir y cymeriadau lleol, a ffrindiau'r bardd, fel Ifor Owen Evans a Wyn James, Beulah.

Dywedodd T. Llew Jones ar ddechrau *Agor Grwn* am gyfrol gyntaf Dic yr Hendre:

> Yn hon y ceir blaenffrwyth ei awen, ac fe geir ynddi hefyd, rywbeth a fydd yn eisiau, efallai yn y cyfrolau nesaf, sef yr asbri a'r hyder sy'n nodweddiadol o fardd ifanc.

Byddai hon yn broffwydoliaeth deg ar gyfer dyfodol unrhyw fardd arall. Ond a yw'n wir am Dic? Yn *Agor Grwn* clywn Dic yn llefaru weithiau mor bwyllog â'r hen ddyn doethaf, a pha syndod gan iddo dreulio cymaint o amser yng nghwmni beirdd a chydnabod oedd lawer yn hŷn nag e. Ac yn ei gyfrol olaf un, dadleuwn fod direidi a diawlineb y crwt yn dal ar waith hwnt ac yma.

Nodyn am y Detholiad

Doedd gan Dic Jones fawr o olwg ar feirniadaeth lenyddol, ac nid fel beirniad llenyddol yr euthum ati i hel y gyfrol hon ynghyd. Nid oes yma droednodiadau yn baglu dros ei gilydd i esbonio a dehongli a chroesgyfeirio, na chwaith ddamcaniaethu academaidd. Fe ddaw cyfrolau eraill (ac awduron mwy cymwys at y gwaith) i ddadlennu a chrynhoi gyrfa a chyfraniad Dic yn awdurdodol. Fe ddaw'r 'Casgliad Cyflawn' yn ei dro, mae'n rhaid. Dymuniad Gomer y tro hwn oedd bod cyfrol glawr caled ar gael a gynhwysai drwch cerddi Dic, ond nid y cwbl ohonynt, rhag i'w phris fynd y tu hwnt i gyrraedd yr union ddarllenwyr hynny a fu mor driw i Dic ar hyd ei oes.

Gosodwyd y cerddi yn nhrefn cyhoeddi'r cyfrolau gwreiddiol, a cheisiwyd eu gosod i bob pwrpas hefyd yn y drefn y bu iddynt ymddangos yn y cyfrolau hynny. Eto, teg cyfaddef fod ystyriaethau ymarferol ynglŷn â gofod ar dudalen wedi golygu bod eithriadau i'r rheol hon. Nid da gormod o ddalen wen i gyhoeddwr o Gardi, ys dywed y ddihareb, ac mae'n bwysig bod y prynwr yn cael gwerth ei arian hefyd!

O ran y dethol ei hun, y nod oedd bod mor gynhwysfawr a chynrychioliadol â phosib, gan geisio cydbwyso gwerth llenyddol pob cerdd unigol â'i gwerth fel cofnod hanesyddol, cymdeithasol neu bersonol. Yn hyn o beth, mae nifer o'r cerddi a ddewiswyd yn sefyll ar eu traed eu hunain fel campweithiau crefft a chelfyddyd. Mae rhai cerddi'n ymddangos wedyn oherwydd eu bod yn rhoi cip i ni ar hynt a helynt bywyd Dic ei hun, ynghyd â'i deulu a'i gydnabod; eraill am eu bod yn dadlennu cyfnod, o ran eu pynciau, neu oherwydd eu chwaeth, efallai; rhai wedyn yn amlygu themâu neu ddulliau oedd yn gyson ar hyd ei yrfa farddol; eraill yn hawlio lle oherwydd eu bod mor wahanol i'r hyn a gaed gan Dic yn arferol.

Nid oedd yma fwriad i gynnwys dim ond yr hyn a ystyriwn yn gerddi gorau Dic yr Hendre, ond mi wneuthum ymdrech i gynnwys y cerddi hynny sydd, drwy eu haml ddyfynnu ac adrodd, wedi hen ennill eu plwy ar lafar neu mewn print. Ac nid oedd yma ymgais fwriadol i sensro Dic, chwaith – o barch at y ffaith na fu ef a chywirdeb gwleidyddol erioed y ffrindiau pennaf! Teg nodi, serch hynny, 'mod i wedi hepgor rhai cerddi a oedd (yn fy marn i) yn orddibynnol ar y math o gyd-destunau ar-y-pryd, neu newyddion dros dro, na fyddent o raid yn aros yn rhan o ymwybyddiaeth bob-dydd y darllenydd cyffredin. Dyna esbonio pam na chynhwyswyd nifer o'r cerddi a ddeilliodd o golofn Dic yn *Golwg*, colofn yn aml a ysgogwyd gan newyddion y dydd – a dyddiad cau wythnosol! Ni chynhwyswyd chwaith y penillion Saesneg a ymddangosodd hwnt ac yma yng nghyfrolau Dic. Er difyrred yw'r rheiny'n aml, ac er mor grefftus ydynt, yn enwedig felly'r englynion, fel bardd Cymraeg y cofir Dic Jones.

Os oes rhai o'ch ffefrynnau personol chi ar goll, beiwch feini prawf y detholwr, neu, os oes yn well gennych, ei fympwy rhonc!

O ran ymyrraeth olygyddol, gwnaed pob ymdrech i osgoi gwneud mwy na chysoni'r orgraff, cywiro ambell lithriad teipograffig, ac ychwanegu neu gryfhau atalnodi lle 'roedd hi'n amlwg bod angen gwneud. Er i nifer o'r cerddi hyn hefyd ymddangos mewn cyhoeddiadau eraill heblaw'r saith cyfrol a gynrychiolir yn y detholiad hwn, glynwyd wrth fersiynau'r cyfrolau fel y rhai awdurdodol. Yr unig eithriad oedd yn achos un o linellau 'Gwanwyn', lle cadwyd at y fersiwn ohoni a ymddangosodd yn y gyfrol *Cyfansoddiadau a Beirniadaethau Eisteddfod Genedlaethol Aberteifi*

1976, sef 'A'r hen frain fry ar y rhos' (tud. 101) yn hytrach na'r ffurf 'a haid cythreuliaid y rhos' a welir yn *Storom Awst*.

Gyda hynny o gyflwyniad, rwy'n mawr obeithio y bydd darllenwyr *Cerddi Dic yr Hendre* yn ymdeimlo â'r un fraint a gwefr ag a gefais i wrth hel y cerddi ynghyd.

Ceri Wyn Jones
Gorffennaf 2010

Gwanwyn.

O arafwn, lanau, dy fwg golomen
Goronch y dilyw i gyrchu diolen,
Tyrd diolau'i wennol yn öl âr heulwen
I lawsu arawg gajafol Eron,
Jafola dy ffrint sfelin — mwyo'r gweler,
Or ffawo gwngerdd ar eitha'r gongran.

Tyrd, awel Erin, i'n tir dolanws
I adfer hy'at i fro diolfrodns,
Croesed y siawd dy gawod ffys
Ei styl arfiel y gwynt dolefns,
Yn ei ano croesawns — tawdd yr iâ,
Eic ymliid eira'r cynyglou dlynys.

Pan dlslaw eirlaw yr hiilwm
Cid sgrsborian'i llorian llwsm

D. Gwenallt

I'm Cydnabod

Mae rhywbeth yng nghymdeithas dyn a dyn
Sy'n aros wedi'r ymwahano'r ddau.
Pan gyfyd law ffarwelio nid yr un
Yw'r naill na'r llall ohonynt. Cans bu hau
O'r ddeutu ffrwyth profiadau'r hir grynhoi,
I fyw neu farw, yn efrau ac yn ŷd,
Bu ffeirio gwên am heulwen, a bu rhoi
A derbyn anobeithion yr un pryd.
Nid aeth na gwên na gwg na dawn a roed
I ddyn ar goll er pan fu'r cyntaf gwawr,
Pob crefft a aeth o ddyn i ddyn erioed,
Yn rhywun, rywle, maent i gyd ar glawr.
Fy niolch i'm cydnabod o bob gwaed,
Hwynt-hwy yw'r deunydd crai o'r hwn y'm gwnaed.

Hen Weithdy'r Saer

Orest anniben yw'r gweithdy heno,
Hundy gwag ystlumod, a gwynt
Yn ubain yno wrth chwilio a chwalu
Ysglodion a llwch y gweithgarwch gynt.

Mae y drws o dan glwm y drysi,
A chorryn a llyg yn chware'n y llwch,
Rhwd yn prysur fwyta dur hen derydr
A lle bu caboli, trueni trwch.

Yno'n eu rhwysg ymdonna'r ysgall
O gylch ei glos, ac fe'i gwlych y glaw.
A'i deunod yn crynu, geilw tylluan,
Ond wedi'r alwad ei ddeiliad ni ddaw.

Mae'r dewin hylaw? Mae'r llaw fu'n llywio
Y morthwyl mawr wrth hoelio mainc?
Mae dawn y crefftwr? Mae'r gŵr a garai
Nyddu'r gerdd wrth naddu'r gainc?

Ei ddelw a roddodd i lawer rhuddin
Yn nydd ei gamp, a chlywodd y gwynt
Frwd ymbilion ei daerion baderau,
A'i alaw drist yn nhlodi'r hynt.

Fel y brwydrodd â'i lif i noddi
Ei epil ef rhag elusen plwy,
Dirwynai'i daradr yn y deri
A lleddfai ei gŷn eu newyn lıwy.

Rhoes fedr ei fraich a'i angerdd erddynt,
A tharian ei fenter a'i hyder a'i aidd,
A nawdd ei gynion mewn dydd o gyni,
A'i abl law rhag rhuthr y blaidd.

Gwelodd ei epil o'i arffed yn hedeg,
A chanu'n iach ar erchwyn y nyth,
I rodio'r hynt lle bu'i grwydr yntau
I weled y boen heb ddychwelyd byth.

Orest anniben yw'r gweithdy heno,
Hundy gwag ystlumod, a gwynt
Yn ubain yno wrth chwilio a chwalu
Ysglodion a llwch y gweithgarwch gynt.

Twm Shot

Pe meddwn ddawn gyffelyb i Ap Gwilym
Mi ganwn gywydd mawl i'r hen Dwm Shot,
Y gŵr y chwerddais lawer am ei smaldod
Cyn gweld beth oedd o dan y pedair cot.

Cydchwerthin wnawn, myfi a'm criw drygionus,
A chwarddai Twm mor llawen, llawn, â mi,
Y naill am ben y llall, o'r braidd y gwyddech
Am bwy yr oedd y jôc, ai Twm ai ni.

Siawns na welech Twm, ar dramp, yn codi
Darn o bapur lliw oddi ar y llawr,
Neu flodyn bach o'r clawdd, i'w ychwanegu
At fedals dirifedi ei got fawr.

Fe'i clywech, wedyn, ar ddiwrnod dyrnu
Yn ffraethinebu yn yr us a'r mwl,
Rhyw lanc direidus, fallai yn ei bocian,
Eto ni wyddech p'run o'r ddau oedd ddwl.

Fe'i gwelech ym min hwyr, pe gwnaech ei ddilyn
Draw i'r tŷ pair, ar ôl ymado'r criw,
Ei gap ar lawr, a'r cetyn clai yn glaear,
Yn plygu glin wrth dalcen yr hen sgiw.

Caech glywed, pe gwrandawech, hen bregethau
Hoelion wyth y pulpud, air am air,
Gweld actio'u triciau bach bob un, yn gymysg
 chonio ambell daten dwym o'r pair.

'Choeliais i fawr o straeon yr hen sowldiwr,
A chredais gyda'r lleill mai ffŵl y gŵr;
Gwawdiais ei wisg – y pedair cot a'r pwtis,
Ond erbyn heddiw nid wy' lawn mor siŵr.

Y Drydedd Salm ar Hugain

Duw yw fy mugail da,
Yn oesol ni bydd eisiau arnaf,
Ef a ry' ddedwydd hafod
I mi lle bo fras fy mhawr.

Gerllaw y dyfroedd tawel
Yno Duw a dywys fy enaid,
I fynd hyd ffyrdd cyfiawnder
Er mwyn ei Enw mawr.

Niwed nid ofnaf mwyach,
Gelynion na Glyn Cysgod Angau,
Canys pan ddelo cyni
Mi wn dy fod gyda mi.

Yn nhywyllwch a thrallod
A phe ing, dy ffon a'm cysurai,
Fe'm cynnal dy wialen,
Mewn ofn bydd imi'n nerth.

Yn wyneb fy ngwrthwynebwyr
I mi fy mord a arlwyaist,
Mynnaist lenwi fy ffiol
Â maeth, ac iraist fy mhen.

Dy ragorol drugaredd
Fydd eiddof ddyddiau fy mywyd,
Ac yn dy ŵydd, dy dragwyddol
Dref fydd fy haddef i.

Gofyn am Godiad Cyflog

Rwyf ar fy nhlodi'n blino,
Tristáu yr wy' er ys tro.
O hir waith ar rwn yr ôg
Mae fy nghwyn am fy ngheiniog.
Annigon dair a chweugain
A gaf o hur, cyflog fain.
Ai dyma werth tendio moch
Am hir a wneuthum eroch?
Aur a ofyn yr ifanc,
Ofer byw heb lyfyr banc.

Wyf barod i briodi
Annwyl ferch a folaf fi,
Ond o styried y storom,
Nid â ymhell logell lom.
Y feinir o hir aros,
Holi a wna bob ail nos,
'Pa ryw hyd cyn priodi,
Addwyn Wil, a fyddwn ni?'
Minnau i'm cymar mwynaf
I'w deiseb gwan ateb wnaf,
'A fynni di mewn deuawd
Roi dy lw i un mor dlawd?'

Mewn breuddwyd rwy'n arswydo
Y gwêl hi ŵr o'r gwaith glo,
Neu â thraserch merch y myn
Weinidog o Fethodyn.

Wrth ryw far, a thi ar fŵs,
Ystyria faint dy storws
Atolwg, fel y teli
Arian gwell i'm llogell i.

I hau'r had pwy a droediodd
Hytir âr, a phwy a'i trodd?
Yn niwedd haf pa law ddur
Lywiai wedyn y bladur?

Gyda'i ddawn pwy gododd ddas,
Rhag odlaw pwy'n toi'r gadlas?
Pwy a werchyd bob porchell,
Pob ceffyl yn ei gul gell?

Onid teg i hwn roi tâl,
Iawn geiniog ar ei gynnal.

Benj

Hyd dir oer, trafaelus, trwm
Ei hen bantiog, gorsiog gwm
I frys ni chanfu reswm.

Bu erioed o bawb ar ôl
I dorri'i dir a hau dôl –
Tymherus nid tymhorol.

Fyth o'i faes ni feth efô
Ddwyn y cyfan o dan do,
Anfoned haf a fynno.

'I ladd eich hunain, pa les?
Daw pwyll â nod pell yn nes,'
I ni hogiau ei neges.

Ffermio neu beidio, ba waeth,
Ein dadl hir wrth y stand laeth
Nis gomedd tasgau amaeth.

Ar y gors, o bob tri gŵr
A dreiai'i siawns, rwy'n dra siŵr
Y methai dau amaethwr.

Cwpledi

A fo fwyaf ei awydd
Mwyaf oll ei siom a fydd.

Nid oes dyn mor dlawd ei stad
Â gŵr nad eiddo gariad.

A glywo dwyll, gwylied o,
Drwg celwydd ydyw'r coelio.

Cymwynas – fe'i cam-enwyd
Os i gof ei phris a gwyd.

Y di-ddawn nid yw ddoniol,
Dyna ffaith na chred un ffôl.

Rhodder i ŵr a'i haeddo
Ei fawl cyn ei gladdu fo.

A farno, ef arno'i hun
A dry ddicllonder rhywun.

Lludw

Dyrnaid neu ddau o ffogen bola'r clawdd,
Rhedyn, a dwy neu dair eithinen gras,
Fforchaid o ddrysi crin, fe gyn yn hawdd,
Draenen neu ddwy, ac yna'r pethau bras.
Pentyrru'r draeniach, un ar ôl y llall
A'u damsang a'u gwastoti megis cynt,
Byseddu'r awel fel rhyw henwr call,
Yna offrymu'r fatsien lle bo'r gwynt.
Pesychu mwg, a rhegi'r gwynt a'r gwres,
Crynu ac yna chwysu bob yn ail,
Twtio ac ailgymhennu'r domen res
A honno'n araf, araf suddo i'w sail.
Troetrymu'n wargrwm tua'r clos, a bwyd,
A gwynt Mis Bach yn chwalu'r crugyn llwyd.

Gweddi

Arglwydd daioni'r flwyddyn, – cymoda'r
    Cymydog â'i elyn.
    Di geidwad anghredadun
    Atal Di wanc teulu dyn.

Yn nyddiau'r drin bydd Di'n dŵr – i'th bobol
    A'th babell yn swcwr,
    Bydd loches rhag gormeswr,
    Dyro nawdd i druan ŵr.

Rho o hyd i blant pryder – dy nodded
    Yn nydd eu cyfyngder,
    Ac yn ei ofn, plyg, ein Nêr
    Y byd i ddweud ei bader.

Dig y byd o dwg i ben – dilea
    O'i deuluoedd angen.
    Dros ein gwlad rho dy aden
    Er mwyn dy Enw mawr, Amen.

Waldo

Nid am roi ohono air o glod i'm cerdd
Y'i cadwaf yn fy nghof mewn Eden werdd.

Nid am imi dderbyn cadair oddi ar law'r athrylith hwn
Y rhoddwn, pe gofynnai, fy ngwar o dan ei bwn.

Ac nid drwy rin y 'Dail' y caiff allwedd clwyd yr ardd,
Nac am i ŵr ei alw'n 'dangnefeddwr fardd',

Ond am im ei gofio'n trin golud ei dadau,
A cholli'r bregeth wrth ffendio'i nodiadau.

I Gyfarch T. Llew Jones, ar Ennill ohono ei Ail Gadair Genedlaethol yn Olynol, 1959

I Lewelyn mawl eilwaith – a nyddaf,
    Fe'i haedda'i orchestwaith.
    Daeth â'r stôl yn ôl un waith,
    Ail i Ddewi'i chael ddwywaith.

Heno, y 'dewin hynod'
Pe medrai a fynnai fod
Yn ein plith, ac yn plethu
Y gân o fawl geinaf fu
I lwyddiant disgybl iddo,
A fedodd a heuodd o.
Chwifiai law, ac â balch floedd
Lediai'r mawl o du'r miloedd.
Ond er mor lew fâi Dewi,
O dwf hwn llawn balched fi.

Rhannodd â mi gyfrinion
Yr hen grefft trin geiriau hon –
Rheol cân a chynghanedd,
I myfi pob dim a fedd.

Falched wyf o lechu dan – ei adain
    Yn y stiwdio fechan,
    O flaen Meuryn ei hunan
    Heb undyn o'm tu'n y tân.

Ond Llew a'i ddidwyll awen, – a'i ysgwydd
    Pan fo cysgod angen.
    Yn y badl pan fo ar ben,
    Hwn a gaf imi'n gefen.

O daw'r hap, o dro i dro – fe luniaf
    Linell gwerth ei chofio,
    Ac yna'r adeg honno
    Haela â'i fawl yw efô.

Ail wyf i ebol ifanc,
Un o'r wêdd sy'n wyllt ei branc.
O'i roi'n sownd wrth rywun siŵr
Y daw hwnnw yn dynnwr.

'Nhad

Bydd ambell un yn cofio 'nhad
Am iddo fod yn gerddor,
A'r llall am iddo unwaith roi
Ei fys yng nghawl y cyngor.
A'r trydydd, fallai am ei fod
O debyg ddiddordebau,
A'i cofia am ei fod yn ŵr
A ffolodd ar geffylau.

Dewch gyda mi fin nos o haf,
I'r sioe ym Mharc Cefn Beudy
I weld y marchog a'r cel main
Yn hedfan dros y clwydi.
Neu wylied stranciau ebol dwy
Yn rhedeg cylch o'i gwmpas,
A'r cyfrwy cyntaf ar ei war
A'u garnau'n ceibio'r clotas.

Ond dacw'r cel yn taro'r glwyd
A'i chwalu i bob cyfeiriad.
Ailgodi'r coed, gair mawr neu ddau
A phlwc i'r cap a phoeriad
A chychwyn eilwaith ar ei gwrs
Ar galap tua'r gwaelod,
Fel pe nas clywsai'r waedd o'r bwlch
Fod bwyd ers awr yn barod.

Dewch gyda mi, a'r nos yn hir,
Heno i'r hen ysgoldy
Lle llywiodd Gwendraeth bastwn gynt,
Mae yno gôr yn canu,
A'r llaw a fu'n gwastrodi nwyd
Rebelus yr ebolion
Sy heno'n dal ysgawnach ffon
I ledio'r 'Pererinion'.

Mae organ hyfryd yr hen Buw
Uwch cordiau'r côr yn chwyddo.
Ond ust! Mae tenor mas o diwn,
Pwnaid neu ddwy i'r piano,

10

Rhed ei law trwy'i dipyn gwallt
Â gair neu ddau o faldod,
Ac yna diarhebu'n hallt
Ac ailfotymu'r wasgod.

A chodi'r gân yn iach drachefn
Yn donnau at ei diwedd,
Ac anodd dweud ai'r côr ai 'nhad
Sy uchaf ei orfoledd.
Megis y bu un dydd o Fai
Pan gurwyd corau'r Gweithie,
Roedd canu mawr ar 'Grug-y-bar'
Y noson honno'n Aber.

Cleren Gyntaf y Cynhaeaf Gwair

Ni welais o'th wehelyth un er llynedd
Pan fûm yn poeni cael y gwair ynghyd.
Trethasoch chwi, os cofiaf, ar f'amynedd
Lawn cymaint ag a wnaeth y glaw i gyd.
Ond heddiw mae hi'n braf, a'r gwres yn crynu
A rhwsial y taenfâu. Ac ar fy ngair
Miniocach yw dy gledd oherwydd hynny –
Ond dyna fel mae i fod i gwyro gwair.
Yn awr i gynnau 'mhibell pan ddisgynnais
Ti fynnit wneud o'm llawes erodrôm,
A chan mai'r cyntaf oeddit, nis dychrynaist,
Ond lwc i mi fod trwch y brethyn rhôm.
Rhag iti ddewis noethach man, rhof glatshen
A'th fwrw di i'r llawr, 'run fel â'r fatshen.

Y Ferch Fodern

Dyfal y pwythai Dafydd
Â'i ddawn, ac awen ei ddydd
Glod i lodes fynwesog
'Â grudd fel rhosyn y grog';
Honno'n lês a chrinolîn
O'i phen ôl i'w phenelin.
Cywirai'r odlau cywrain,
Alaw mawl i'w chanol main.
Fe'i molai, fe geisiai gus
Ei bin-yp eurben, hapus.

Myfi a wnawn saernïo,
Pe cawn ei ddawn ddigardd o,
Glod i'r ewinbinc ladi
Yn fun deg o'm cyfnod i.

Cwrlyn fel cot y carlwm,
To trwsiadus, trwchus, trwm
Sy i garwres ieuanc,
Yn troi lliw i siwtio'r llanc,
A dwyael gam er dal gŵr –
Stwff hud yw past a phowdwr.
Mae mefus ei gwefus goch
'*L' learner* yn galw arnoch,
Whîls a ffowls, wyau a physt
Yn waglan wrth ei dwyglust.

Teit ei siwt, *knitted sweater*,
Eilun hoff yr wlen wêr,
Main o fol a'i chamau'n fyr,
A sip-yp i'r bais bapur.
Ac am ei gwasg, dynwasg del,
Mae bandyn am y bwndel.

Onid ydyw'n un deidi
Â neilon wain i'w chlun hi?
Duwiesau di-ardyson
Yw'r rhai y sydd, yr oes hon.

Onid teg esgidiau tyn
A'u balans ar ddau bolyn?

Pais i'r llawr, rwysgfawr, wasgfain
Oedd landeg yn adeg nain,
Ond yn nyddie'r chware chwist
Y nod yw bod yn niwdist,
Ysgawnu'r wisg yn yr haf
Yw steil y ladis delaf.
Yn y dyddiau diweddar
Os celir coes, cilia'r câr.

A chwery serch yr oes hon,
Y noetha pia hi, weithion.
A daw hi cyn pen y daith
Yn ôl i Eden eilwaith,
I aros byth mewn rhes bys
Â'i ffag a deilen ffigys.

Y Golled

Fe'm daliodd Sam yn deg mewn naw o foch
Pan drewais law cyn deall naws y mart.
Ped aethent dan y morthwyl, dorraid groch,
Gwn heddiw y gwnawn bumpunt ar fy nghart;
Ond dyna hi, mae'n ofer codi pais,
Ys dywed y ddihareb honno nawr
A rhaid fydd imi mwyach oddef llais
Pryfoclyd hwn a'r llall, o'm dwli mawr.
Gocheled ef rhag gorlwyfannu'i ffawd
A welodd gyfle gwych i ymfrasáu,
Pan wnelo gamgymeriad, corff o gnawd,
Llai tebyg yw o'r hanner o wneud dau.
Fe all y delir yntau, ddydd a ddaw,
'Mae'n tynnu yma i lawr, mae'n codi draw.'

Yr Arwr

Clodforwn hwn, nad edwyn ei orchest,
Nad yw'n Fflandrysa er enw
Na mesur poen fesul punt.
Ond a red i'r adwy
Heb weld tâl y fedal a fydd
Na chost ei fenter chwaith.
Ei gur ni cheidw ar gof,
Nid edliw, dradwy ei aberth,
Canys nid yw gymwynas onis anghofir.
Gwyn ei fyd
Am esgor o'r argyfwng arno,
A deffro gwroldeb trugaredd o fewn ei wythi,
Fel nad eiddo mwyach
Gywilydd y llwfr
Na gwarth y gŵr a gefno awr y gofyn.

Gwyn ei fyd a edwyn ei fetel ei hun
Wedi llorio gelyn a ofnasai'n hir
A heb ei 'nabod.
Efe ni ofyn hyder arf
A chysgod llurig i'w wrhydri
Na gwin canmoliaeth llu i roddi iddo egni.
Nis nertha lifrai
Oblegid eu cymorth ni chwennych.

Ni fedd ryfygus swae
Bwlïaid cornel stryd
Na'r nwyd
A ddewis ffordd y praidd.
Ni log le
Ar sgrôl yr anrhydeddau,
Ni fyn lwyfannu'i orchest.

Dibris ganddo weniaith brenin
A sigl llaw y mawrion,
Ac nid ymdry lle bo sidanau
Er clod.
Oblegid ei frwydyr, o'i fewn y bu.
A'i fuddugoliaeth, yno y mae.

Cwmwl

Melynaur gwmwl unig
A hwyr haul yn cochi'i frig;
Fe wawdiai fro ddeifiedig.

Eiliw'r llain i flew llwynog
O eisiau glaw cringras clog,
A dôl fel traeth dihalog.

Hanner addo ei roddion
I ddyfrhau llwm wedd y fron,
Haeled oedd â'n gwleidyddion.

Ac o olwg a'i gwyliai
Ar lyn o wybr hwylio wnâi,
Yn ôl nid oedd a'i galwai.

Yna ar Fanc y Pennar
Y troes ei bwynt dros y bar,
Gwmwl na feddai gymar.

Y Fuwch

Mae ambell fuwch, fe wyddom, yn ddi-ddal,
Yn hidio dim i dowlu ambell gic.
Mae gennym un, y chweched fuwch o'r wal,
Sy'n dangos peth deheurwydd yn y tric.
Dim byd yn gas, ond bod o'i deutroed ôl
Y ddeau yn ysgawnach, beth, na'r llall.
O leiaf, â'r droed hon y ciciai gôl
I chwarae ffwtbol pe bai'n ddigon call.
Pan fyddwyf yn pwlffagan llunio cân,
A rhywbeth mwy na godro'n llanw 'mryd,
A'r corff a'r meddwl bron bod ar wahân
I weled campau'r lodes, dyna'r pryd.
Cyn wired â daw llinell, fe fydd llaeth
Yn llifo hyd y sodren, os nad gwaeth.

Yr Ail Orau

Gweais, a gyrrais gân
I offis gŵyl Pont Steffan.
Cerdd ar y testun 'Y Ci',
A rhoddais amser iddi.
Cân i gofio Bisto bach,
A ellid thema gallach?
Hwnnw y daeth ei oes dêr
I ben dan olwyn beinder.
Hyderwn fy nghadeirio
O roi cân i'w driciau o.

Yn hwyr y nos labrwn i,
Gyda'r adar cyfodi
Yn gynnar heb help larwm
Na cheiliog coch Wil y Cwm.
Ati'n fore cyn brecwast
Bwriwn i heb awr yn wast.
Cynganeddu'n y buarth
A'r dydd yn ei gynnar darth.
Wrthi wrth nôl y gwartheg
A diwyd iawn ar de deg.
Cloi llinell rhwng tafelli
A wnawn, a breuddwydiwn i.
Esgud gwnawn ryw gymysgeth
Sos yn fy nhe yn lle llaeth,
Morio 'mhlât â marmalêd
A 'macwn yn fy mhoced.
Odli wrth garthu'r ydlan
A malu, o hyd bwrw mlân.
O bwt i bwt dôi i ben
A'i hadrodd yn y sodren.

Boi o'r North a'i barnai hi,
Ciwrat ar bwys Porth Ceri.
Neu Rabbi yn ôl rhibyn
Hir a doeth lythrennau'r dyn.

Yn y Steddfod fe gododd
A'i drem at y dorf a drôdd.
Peswch ei ragair pwysig,

Araf, wnâi a threfnu'i wig.
'Dau lew i'r gystadleuaeth
Ryfedd hon,' ebr ef, 'a ddaeth,
Ond rhaid diystyru un –
Ast sy ganddo yn destun.
Ac felly, fwyn gyfeillion,
I 'Dai' rhof y gadair hon.
Pan alwa'i Dai, safed o
O'i sedd od oes goes iddo.'
Ar hyn safodd llipryn llwyd,
Edlych o brydydd prydlwyd,
Hir ei wallt fel budr welltach
A'i felen siwt fel hen sach.
Coesau a iorcs, a hy wên
Yn lliwio'i wyneb llawen.
Ac efô, Ianto Tŷ'r Ardd –
Y pryfyn, oedd y prifardd.

Pa ryfedd i hwn heddiw
Ei roi yn y gadair wiw,
Onid yw teulu'r curad
Yn dod o'r un cyff â'i dad?
A'r gwalch yn gefnder i Gwen,
Ail wraig i Wili'r Wagen,
Hanner brawd i Sami'r Bryn,
Wncwl ei lysdad Shincyn.

A chlywais i'w wraig, Leisa,
Yn nhŷ yr ieir wario'r ha'.
Yno'n trin Rhode Island trwm,
Andros o geiliog tindrwm.
Santiclêr â'r siant claeraf,
Eilun y brid, ffowlyn braf.
Ducpwyd y llencyn decpown
Gyda'r stwff cryfa o'r Crown
Yn wledd i'r clerigol blât
(Hen iâr a rois i'r ciwrat).

Mae fy nghwyn mwy am fy nghân,
A'i ffawd ar ôl y ffwdan.
A yw'r gamp i fynd ar goll
O fai ionc ar ddifancoll?

Awen lew a gyll y wlad
Ar farn rhyw bwdwr feirniad
Chwarter call yn deall dim,
Awenyddol gor diddim?
A'r gwaith yn ofer i gyd?
Ow yr hunllef ddychrynllyd.

Na, gwn er ennill gini
Beth a wnaf, cyhoeddaf hi.
Rhof 'Y Ci'n *Y Genhinen*,
S.B. sy'n foi craff dros ben.
Hwnnw a wêl ogoniant
Cân brydferth a nerth fy nhant.
Fy enw hyd y sir a fydd
A'm bri yn tramwy broydd.
Ac yn ôl greddf Eisteddfod
Caf drwy'r wlad yn feirniad fod.

Hedfan

Gofalus y torrwn gwys gynta'r dydd,
A chastin y bore heb loywi'n iawn.
Daeth gwylan o rywle, fel ysbryd cudd;
Erbyn yr eiltro roedd y gwys yn llawn.

Ac yno y buont yn dilyn fy nghwt
Drwy'r bore, a chynnal eu halabalŵ,
Gan hela'r pryfed o'u celloedd twt
Bob mwydyn ohonynt, do ar fy llw.

Ond yn sydyn reit codasant yn fflyd
Fel golch bore Llun, a dianc o'r wledd
I ben pella'r grwn, gan ei gado i gyd
I hen guryll mawr newynog ei wedd.

Canys nid oes cwningen yma nawr,
I Dwm Bach y Trapwr na'r curyll mawr.

Bois yr Hewl

Ceidwaid y tarmacadam
Yn byw ar jôcs a bara jam.
Unawr i fwyta'r cinio
A dwy awr i'w wared o,
Dwyawr gŵl i ddod i'r gwaith,
Awr ar hewl adre'r eilwaith.
Dwy ar ôl i gadw'r hewlydd:
Onid wyth sy yn y dydd?

Yn eu dwyawr bois diwyd
Yn eu gwaith yw'r rhain i gyd;
Trasio cwteri isel
Â mawr sbîd wnânt am ryw sbel,
Yna rhagor o hogi,
Ara bach mae'i rhwbio hi,
O gael awch daw trasio glân,
Nid â grym wrth dy gryman.

Ni fyn frys na chwys ychwaith
A gâr raen ar gywreinwaith.

Chwilio

Chwilio, heb gael ei cholwyn
Yn y gwellt, a mynych gwyn.
Un sŵn mwy nid oes yno,
Chwaith na'i gwynfan egwan o.

O'i galar ni fyn aros –
Ffroeni tyllau cloddiau'r clos,
O fan i fan, i fyny
I dŷ'r tarw, o'r ffald i'r tŷ.

Rhed yn syn a thyn ei thor
Heibio i ddrws y sgubor,
Ac oedi'n ysig wedyn
O fewn llath i fin y llyn.

Ellen Ann

Os gwelsoch chi'r darlun o Salem
A'r ddynes â'r siôl yn rhyw fan,
Rwy'n siŵr y gwnaech ei hadnabod
Pe cwrddech â'r hen Ellen Ann.
Canys hon yn nyddiau plentyndod,
Â'u hwyneb melynsych hi,
Â'i llyfr o dan ei chesail
A'i siôl, oedd Sîan Owen i mi.

Fe ddaliai'n un llaw yn wastadol
Ffon ddraenen, ni wn i ddim pam
Cans ni chwrddai'r llawr, a'i thraed bychain
Yn mesur dwy droedfedd i'r cam.
A'r llall a anwylai hen Feibil
Treuliedig â'i glaspiau ynghlo,
Ac eto, ni wn i ba ddiben,
Roedd ei gynnwys i gyd ar ei cho'.

Pe cwrddech â hi yn malwodi
Ei ffordd, pa ddydd bynnag o'r saith,
Mi fentrwn i swm bach sylweddol
Fod capel ar ryw ben o'r daith.
Os na fyddai'n breichio basged
A honno ryw radd ar ei chant,
Bryd hyn, byddai'r daith i Lwynbedw
Â dyrnaid o gyrrens i'r plant.

Pa waeth os oedd celfi'i thrigias
Yn dallu'i ffenestri cul?
Roedd yn rhywle i wario'r amser
Rhwng seiat, cwrdd gweddi a Sul.
Pa waeth bod ei chawl 'Ciper-herin'
Mor ddiflas â'i bara te,
Gwnâi'r tro nes câi dafell o'r bara
A bery am byth yn ei le.

Pe clymid ei dengmlwydd a thrigain
O gerdded i gyrddau ynghyd,

Os na fyddai'n hwy, byddai hired
 thaith yr hen genedl i gyd.
'O fryniau Caersalem, ceir gweled'
Y drafael i gyd, medde nhw,
Mae yno un bellach a'i cerddodd
Bob troedfedd, mi gym'raf fy llw.

Sam Glasgoed

Drachefn, ar wyntoedd coll hydrefau'r drafael
Mae'r 'Coronation Belle' yn swnio draw
Wrth lusgo'i chynffon hir dros Riw Gogerddan
A Sam yn hawlio'r hewl o glaw' i glaw'.

Hwn â'i injan stîm, cyn geni tractor,
Yn nhymor dyrnu, onid ef y teyrn
Ar bymtheg plwy, a phob clos ac ydlan
Yn disgwyl sang a swae y cantau heyrn?

Drachefn mae'r chwiban hir, y bore cynnar
Yn ego'r cwm o glos y lle a'r lle,
'Rhen Sam sydd yno'n gwysio pob amaethwr
A pherchen fforch i'w wasanaethu e.

Gorau'i gyd i hwn po wyllta'r helynt,
Po fwya'r stŵr, po gulaf y rhodfeydd,
Ei 'Goronation Belle', a'i phres yn sgleinio,
A chystal sglein, pob dim, ar ei regfeydd.

Hawliai o fraster cegin a chwenychai,
A thaflai ar y gwar a fynnai'i bwn,
Pwy feiddiai omedd dim i'r llygaid llymion
Na herio'r piler pump a hanner hwn?

Llithrodd i oes y tractor ar ei waethaf,
Lliniarodd amser ei erwinder o,
Glynodd wrth a fu i'r gewyn olaf,
Aeth rhamant dyrnu gydag ef i'r gro.

21

Cywydd Mab at ei Dad, yn Gofyn am Arian Poced

Stiwdent mewn creisis, Dadi,
Ydyw Wil dy epil di.
Y mae trymder prinder pres
O fewn ei ddi-lwgr fynwes.
Clwydo'n gynnar, neu aros
O flaen tân a wna'n y nos,
A haid o'i ffrindiau'n Sodom
Yn swagro'u pres ger y Prom.

Mwyach, does ond dimeiau
Oll o fewn y logell fau.
Na roddai Maths ffordd i mi
A wnâi geiniog yn gini!
Neu y derwydd diarab
Yn ei glyd botelog Lab,
Na wnâi trwy wres proses brwnt
Un ddimai yn ddiemwnt!

Gwelais mewn arall goleg
Un â'i dull i'm swyno'n deg,
Croten aristocratig,
Yn steil bras o'i sawdl i'w brig;
Un â thast at foethuster,
Fe flinai hon filiwnêr;
Tacsi a fyn fy rhiain,
(Ni fu wâc â sowdwl fain).
Caviar i'm cymar cu
Mewn hotel, a mi'n talu.
Diwaclod bwrs dlodai Bet,
Wedjen sy'n cawlo'r bydjet.

Cofia'r mab da tra mewn tref,
Ei ddiwydrwydd e adref –
Bwydo'r iâr, mofyn bara,
Gweini'i deyrn fel bachgen da,
Parod i redeg neges
I griw'n sychedu'n y gwres,
'Nôl tractor, carco'r corcyn –
Oni thâl y pethau hyn?

A ddaw dim o'i ludded o,
O'r twt, a chrafu'r tato?

Diwaelod yw dy goden,
Na fych gan hynny yn fên,
Oblegid pan benblygi,
Nid ei â'th aur gyda thi.
Rho dy aur ar allor dysg,
Hyrwydda lwybyr addysg.
A datoda dy gadach –
Towla bunt i Wili bach!

Sam y Cringae

Nepell o'r fan lle trigwn gynt mae mynwent
A llawer math o dderyn yn ei chôl,
A mynnwn, pe gallaswn eu dadeni,
'Rhen Sam y Cringae gyda hwynt yn ôl.

Fe lonnai â'i storïau bob cae tato,
A'i ddywediadau pert ar wefus plwy,
A chnoai'n gyfan, meddai, owns ar gegaid
A haeru, pes câi'n rhodd, y cnoai ddwy.
Rhown lawer am gael clywed eto hanes
Ei slawer dy'n jocïa yn y plas,
A'r ffrâs o Saesneg brith bob tro yn frithach
Pan dd'wedai stori'r Syr ar ôl y ras.

Cawn, bob pryd bwyd un o'r storïau lliwgar,
Un arall wedyn wedi gorffen gwaith,
Bu'n 'folon marw' ym mhob un ohonynt –
Nid hollol fodlon y tro olaf, chwaith.

Traeth Cribach

Malwyd cynddaredd tonnau
Gaeafau yr oesoedd gynt
Yn ewyn ar greigiau Cribach,
Nis rhychwyd gan law na gwynt.
Lle methodd storm â'i rhwyg a'i rhu,
Blwyddyn o gontract, a thraeth a fu.

Er naddu o lewder dynion
Yng nghrombil y clogwyn lyn,
Er rhoi o wyddonydd iddi
Donnau ac ewyn gwyn,
Ni ddaw y pysg i'w dyfroedd oer
Na thrai na llanw wrth wŷs y lloer.

Traeth Dol-wen

Hudaist oddi wrthi gariad,
O dref i'r drin,
Gwyliaist y ffarwel olaf
A gwep ei min.

Buost yn gyrchfan beunos
Ei haros hir,
Buost yn nod i'w egni
A gyrchai dir.

Golchwyd â storom hiraeth
Ddwy rudd y ferch,
Sgwriwyd o'th graig y gofeb
A naddodd serch.

Traeth y Gwyrddon

Malwyd ei greigiau'n felyn
Yn ara deg,
Rhwygodd y môr i'w ogo
A lledu'i cheg.

Trystiodd y roced drosto
Â'i thân a'i mwg,
Ac ni chwyd morlo mwyach
O'r dŵr ei wg.

Yno ni waria gweision
Eu hamdden hwy,
Gwynlliw ei gul ddeugeinllath
Ac unig mwy.

Y Llwybr Unig

Lle doe bu glas y gwndwn
Mi dorrais lwybyr coch,
A chefais gwmni stwrllyd
Criw o wylanod croch.

Does neb drwy'r byd yn gyfan
A droediodd hwn o'm blaen,
Myfi â'm camau araf
A roddodd iddo'i raen.

Mae'n pwyntio'n syth o dalar
I dalar ar y ddôl,
Ac ni ddaw neb ond 'ceffyl rhych'
I'w gerdded ar fy ôl.

Medi

Sŵn mawl t'wysennau melyn
Sy'n gwau drwy weirgloddiau'r glyn,
Dawnsia'r ŷd yn nhes yr ha',
I rym y gwynt ymgryma,
O drum hyd drum patrymau
O rwd ac aur wedi'u gwau.

I rynnau aur ŷd Cae'r Nant
Y bore daw â'i beiriant
Ŵr dilesg, aer y dolydd
A nod yr haul hyd ei rudd.
Daw hyd lôn meillion a mill,
A chais wobrwy chwys Ebrill.

Ymyla'r tonnau melyn
Ac i'w rwysg y cae a gryn.
Sarnu hedd â'i gonsarn o,
Gwreichioni hagrwch yno;
Ni saif rhag ei sialens o
Weill ceirch y man lle cyrcho.
Lle bu tw melyn unwaith
Ystod wellt a dyst i'w daith.
Uchel lwyth ym mwlch y lôn,
Penllanw'r pynnau llawnion.

Ddoe i'r cae gwahoddai'r cyrn
I'r un gad yr hen gedyrn.
Dewrion y cynnar daro,
Cyndeidiau ei dadau o,
Hen gwmnïaeth y ffraethion,
Di-ail lu y fedel lon.
Grymus oedd o'i gormes hi,
Goludog o galedi.

Troai mam a'i phlant i'r maes
A chariadferch i'r ydfaes.
Yn niwydrwydd yr hydref,
I rwymo'i aur pendrwm ef.

A dihafal fataliwn
Teisi y grefft wisgai rwn.

Ni fedd amaethon heddiw
Draean o grefft yr hen griw;

Nid ery fory'n ei faes
O'i eurlliw dywys hirllaes,
Ond briwiog wellt byr y gad,
A rhawn diraen ei doriad.

Y Twr Unig

Nis sychwyd gan y gwynt drwy'r hydref llaith
Gan ormod coed o gylch y gornel wleb;
Nis crasodd pelydr haul mis Medi chwaith
Gan ddued oedd y nen, ac ni ddaeth neb
I daenu'i drigain ysgub ar y llawr
Tu-fewn-tu-fas, â'u bonau at y gwynt
Fel eraill o sopynnau'r Cefen Mawr,
Ar fin y gors doedd neb a hidiai'i hynt.
A phan ddaeth dydd y cywain yn ei dro
Nid oedd ym mysg y sych i'w ddwyn i das,
Doedd werth i welltyn pwdr ei sgubau o,
Â'u brigau 'nghlwm i gyd ag egin glas,
Ar gribyn ucha'r twr mae'r Robin Goch
Yn diolch nad aeth hwn yn fwyd i'r moch.

Y Gamp

Canaf i'r dwylo cynnil,
I ddyn o artistiaidd hil,
A roes Salem a'i emyn
A'i naws lleddf ym mynwes llun,
A roes weddi ar liain
A hedd cwrdd â'i fysedd cain.

Rhoi yno grychu'r henaint
A'r ddwys wedd ar ruddiau saint,
Direidi plygain einioes
A chamre prudd hwyrddydd oes.
Rhoi'n sgrifen ei awen o
Dawelwch plethu dwylo.

Fe luniodd yn nwyster ei baderau
Yno ar liain, henwr â'i liwiau
Yn plygu i'r deri ei weddïau
Yn ŵyl i addef ei drwm ffaeleddau.
Tawel ŵr y talarau'n dal yno
Yn nyth ei ddwylo wlithoedd ei aeliau.

Yn ei wedd welw mae hen waddolion,
Hafau aur, a gaeafau oerion.
Ôl yr oesol ymryson a welir
A'u gwaeau hir ar ddwylo geirwon.

Bodlondeb y neb a adnabu
Droi'i gae yn onest, rhag newynu,
A nod y neb fu'n cadu â daear
Anodd dalar i noddi'i deulu.

Mae yno hanes trwm wanwynau,
Y gyrru union hyd y grynnau,
Llywio'i derwyn gylltyrau, hau a thrin,
A sigl egin yn glasu'i glogau.

Hawdd yw canfod yng ngwedd y cynfas
Ran o firi hen hafau eirias,
Y gwaith a'r hen gyweithas frawdgarol
Gwmni dethol yr hen gymdeithas.

A'r trigain hydre diflanedig
Yr eilliodd ŷd â'i griw lluddedig,
Gwisgo priddyn cwm unig â'i lafur,
A'i ddiosg â'i bladur ddisgybledig.

Ac yng ngwrymiau gaeafau'r gofid
Mae ofnau hirlwm a fu'n erlid
O bantiau ei ruddiau wrid yr hafau
A gwanhau dyrnau'r hen gadernid.

Yn y drych â'i lewder o
Hanes Siân a roes yno,
A chloes ymryson oesol
Drwg a da'n sidan ei siôl.

Â'i liwiau dal ei hewyd
A'i gwedd yn weddi i gyd,
Ei gruddiau uwch seddau'r saint
Yn agennog o henaint,
Yn lleddf ei harddull addfwyn,
A throm o fawl ei threm fwyn.

Noddodd yn iaith celfyddyd
Hanes cwrs ei hoes i gyd.

Rhoi â brws hyder bore'i hynt – â gwên
Gwanwyn yn ei thremynt,
Olion hwyl a hen helynt
Di-gur ei phlentyndod gynt.

Aidd hogen hardd ugain oed – a roddodd
Ef yn ngruddiau henoed,
Ei hafiaith gyda'i chyfoed,
Llwon dau is cangau coed.

Rhoddodd ias bore glaswyn – yr uno
Yn yr wyneb melyn.
Y mae nod pob munudyn
O haul y daith ar ael dyn.

Gwewyr esgor a wasgwyd – i eigion
Y llygaid diarswyd,
A'i lawenydd a luniwyd
Yn gain yn y lliain llwyd.

Hanes rhyw bell drybini – ac olion
    Di-gêl hen galedi,
    Mae ei storom, ei stori
    Dros ei hael bryderus hi.

Ond yno hefyd gan nod annifyr
Gwaeau Siân mae ôl cusan cysur,
A'r gân a ddysgodd trwy gur i'w chynnal
A'r weddi ddyfal fu'n dal y dolur.

A wêl y gamp geilw i go'
Swyn y gymdeithas honno,
Gwerin o ddedwydd linach
Y tyddyn a'r bwthyn bach.
Huawdl oedd ei dwylo hi,
Glân ei chân yn ei chyni.

Tywysogion hwsmonaeth
A'u byd cul, â'u bywyd caeth,
Rhin y tir yn eu toriad
Di-frys megis twf yr had.

Cenais i'r bysedd cynnil
O fawrhad am gofio'r hil.

Y Lori Laeth

Newydd dduw i'r wlad a ddaeth, – a ennyn
    Blygeiniol addoliaeth.
  Y mae glewion hwsmonaeth
  Yn addoli'r lori laeth.

Gwres

Gwres yr iaith i areithwyr, – gwres y Gair
    Sy gan y pregethwyr,
  Gwres ei waith i gry' was hur,
  A gwres Aga i'r segur.

Yfory

Mae ar bwys, a'r un mor bell – ag erioed,
    Nid oes gri a'i cymell.
  Y newydd gwys, y dydd gwell,
  Am na ddaw y mae'n ddeuwell.

Crwydryn

Un â'i flys am elusen, – hen gono
    Heb goin yn ei goden,
  Sâl ei barch, isel ei ben,
  Â'i gyfoeth ar ei gefen.

Hwyrddydd

Awr y feinwen a'r fwyniaith, – awr y lloer
    Â'i lliw ar y dalaith,
  Awr y borffor hoe berffaith,
  Awr hamdden a gorffen gwaith.

Gwylan yn troi i'w gwely, – gŵr yr og
    Ar ei rwn yn cefnu,
  Anian yn prysur daenu
  Hyd lwyn a dôl liain du.

Tŷ Gwag

Dail crin yn fwndel cryno – ar y llawr,
    Hendre'r llwch a'r eco,
Di-dân ei lwyd aelwyd o
Heb enaid o neb yno.

Ifan Jenkins

Drwy ei oes casglodd drysor – o ddewis
    Haidd awen i'w sgubor,
A doeth fu cyhoeddi'r stôr
I aileni'r hen lenor.

Beddargraff Dyn Pwdlyd

Tybiai'r âi, gan gymaint ei bres, – i fewn
    I'r sêt fawr yn Jabez.
Treiodd, ond collodd y cês,
Pwdodd, cadd drip i Hades.

Ysguthan

Edn glas yr undonog lith, – teirant tir
    Yn tewhau ar felltith,
Câr dywysen cae gwenith,
A gedy'r glwyd gyda'r gwlith.

Gobaith

Er i'r prudd leitho gruddiau, – a gŵr llesg
    Gario llwyth gofidiau,
Wedi ing yr hir dristáu
I dŷ galar daw golau.

Beddargraff Gwas Fferm

Troes o'r waun i storws yr eirch, – i'w wâl
    O fydylau'r llwytgeirch,
    O'r rŵm ford a grwmo'i feirch
    I lys tawel is tyweirch.

Beddargraff Meddwyn

Y lowt sy dan y clotas, – uwch ei fedd
    Na rowch faen di-urddas,
    Rhowch label hen botel Bass
    Yn gorcyn uwch ei garcas.

Beddargraff Pregethwr

Mor faith fu'i araith, mor wan, – ar nos Sul
    Âi'r hen saint i hepian.
    Ym mysg llwch a mwswg llan
    Heno, mae'n cysgu'i hunan.

Twrch Daear

Ei deyrnas yw ei basej, – gwnaed ei wisg
    Yn dynn fel croen sosej,
    Â'n ei flaen a'i drwyn fel wej,
    Ceibiwr y rhychau cabej.

Beddargraff Comediwr

I storiawr rhoed llys di-rent, – ar ddweud pert
    Rhoddwyd pall y fynwent,
    Y mae i hwyl glawr siment,
    A thŷ dwylath i dalent.

Dyn Tew

Boi go debyg i dwba, – a dwy ên
    Uwch ei dei i'w dala.
    Bytwr a diotwr da,
    Sy ofalus o'i fola.

Dyn Tene

Pen ôl fel clopyn hoelen, – un â'i war
    Mor ddi-gnawd â chambren,
    Di-gig o'i fwndag i'w ên,
    Sleitach o beth na slaten.

Iwan
(a briododd, gan adael y pedwarawd heb faswr)

Unig yw'r tri cydganwr – sy ar ôl,
    Sorri iawn eu cyflwr.
    Nid oes tôn, mae'r tri'n ddi-stŵr:
    Ni bu fiwsig heb faswr.

Mair
(Marw cynnar cyd-aelod o Aelwyd Aberporth)

O!'r ysgariad ofnadwy – does a'i geilw
    O'i dwys gell i dramwy,
    O'i thranc ifanc ar ofwy
    Ni ddaw Mair i gyngerdd mwy.

Awen

Anian cerdd a fu'n corddi – yn y bardd
    Cyn bod ei ffurf iddi,
    A dau raid ei chryfder hi
    Yw dileit a dal ati.

Cynhaeaf

Coed Mihangel yn felyn,
A'i niwl glas yng nghil y glyn,
A'r dyrnwr draw'n ara drên,
O hir ruo'i orawen,
I wyll hwyr yn ymbellhau
Ar drafael yr hydrefau,
A reilwe us ar y lôn
Yn blaen lle bu'i olwynion.

Huodledd lond yr ydlan,
Sôn mawr am hanesion mân,
A phawb o'r fflasged wedyn
Yn taro'i glwt ar ei glun.

Mae lluwch o ŷd dan glyd glo
Yn tyner siffrwd heno,
Lle doe'r oedd lloriau ceuwag,
Eisin a gwawn a swn gwag.
Cnwd trwm cynhaea tramawr
Yn afrad lif ar hyd lawr,
Gloywder byw ar gledrau barn,
Aur ei liw ar law haearn.

Ni chofir certh ryferthwy
Storom Awst a'i llanastr mwy –
Y cnwd fel talcen eidion,
Ac arlwy'r brig ar lawr bron,
A'i anniben ysgubau
Yn llwyd a brwysg eu gwellt brau.

Aeth o go'r trafferth i gyd
Yn hen wefr a swn hyfryd
Ei gras odidog rwsial,
A thyrrau mwyth ei aur mâl.

Gyrred gaeafol gorwynt
Hyd lwyd wlad ei law a'i wynt,
Ni'm dawr i mwy ei drwm ia,
Na'i strem oer na'i storm eira,
Nid â'n brin nac eidion braf
Nac anner tra bo gwanaf,

Na buwch byth tra bo uwchben
Gynhaeaf fel y gneuen.

Pan ddelo'r adar i gynnar ganu
Eu halaw dirion i'm hailhyderu,
A phan ddaw'r amser i'r hin dyneru,
I braidd eni ŵyn, i briddyn wynnu,
Af innau i gyfannu – cylch y rhod,
Yn ôl i osod a'r ddôl yn glasu.

A rhof fy ngofal i ddyfal ddofi
Gerwinder cyson gywreinder cwysi,
I roi yn addod ei chyfran iddi
O'r wledd y llynedd a roes i'm llonni;
Y ddôl a'm cynhaliodd i – â'i lluniaeth,
I hadu'i holyniaeth hyd eleni.

Bu hen werydu uwchben yr hadau,
Yn y mân bridd mae tom hen breiddiau,
Ac yno o hyd rhydd sofl hen gnydau
I eginyn ifanc egni hen hafau,
Cynhaeaf cynaeafau – sydd yno,
Yn aros cyffro y gwres i'w goffrau.

Bu hen gyfebron yn ei ffrwythloni
A'u hachles cynnes, ac yna'n geni
Eu lloi a'u hŵyn yng nghysgod ei llwyni
Yn gnydau gweiniaid, gan eu digoni
Â llaeth ei chynhaliaeth hi, – nes dôi'n rhan
I fychan egwan ei hun feichiogi.

Lle bu 'nhadau gynt yn rhwymyn trymwaith
Yn cerdded tolciau ar ddiwyd dalcwaith,
Mae'r pridd yn ir gan hen gerti'r gwrtaith,
Ac yn llifeirio gan eu llafurwaith,
Ac mae cloddiau goreugwaith – eu dwylo
Eto yn tystio i'w saff artistwaith.

Tybiaf y clywaf, yn sgrech aflafar
Y gwylain a'r brain sydd ar y braenar,
Gyson bladuriau hen ddoeau'r ddaear
Yn troi'u hystodau lle'r oedd trwst adar
Yn hinon yr haf cynnar, – a gwrando
Eu llyfn welleifio'n fy llyfnu llafar.

Ac yn fy ffroenau yn donnau danaf,
O dreigl y pridd daw arogl pereiddiaf
Crinwair yn hedfan pan dorrid gwanaf
Yn sglein y gawod ar nos G'langaeaf,
A hir res o fuchod braf, – drwyn am drwyn,
Wrth awen ei haerwy'n tarthu'n araf.

O'm gorsedd uchel dychmygaf weled
Eu lloi chwareugar yn llwch yr oged,
A graen bwyd mâl ar gwarteri caled
Eidion ieuanc a buwch a dyniawed,
A thew yn eu caethiwed – y bustych,
Ar ddilyw gorwych o'r ddôl agored.

Rwy'n gweled eto gwmni cymdogol
Y fedel araf a'i dwylo heriol,
Yn codi teisi yr hen grefft oesol
O'i rhwym ysgubau'n batrymus gabol,
Ac ar bob min wcrinol – yr hen iaith,
Yn nillad gwaith ei hafiaith cartrefol.

Gweld campwaith cywreinwaith helmwr cryno,
Bon-i-linyn wrth araf benlinio,
A chloi saernïaeth uchel siwrneio
Ei gylchau haidd yn ddiogelwch iddo,
Yn gaer o gnwd rhag oer gno'r gogleddwynt,
A newyn dwyreinwynt pan drywano.

Gwaddol eu hirder sy'n glasu f'erwau
A hil eu hŵyn sy'n llenwi 'nghorlannau,
Ffrwyth eu hir ganfod yw fy ngwybodau,
Twf eu dilyniant yw fy ydlannau,
A'u helaethwych haul hwythau, – o'i stôr maeth,
Yn eu holyniaeth a'm cynnal innau.

*   *   *

Clyw ymdeithgan peiriannau, – a'u corws
    Cawraidd yn y caeau,
  Gwrando'u grŵn hyd y grynnau,
  Ac edrych mor wych yw'r hau.

37

Ffrwyth dawn a thrafferth dynion, – difai dwf
    Dyfais mecanyddion,
   Esmwythach gwrs amaethon
   Sy oddi ar sedd yr oes hon.

Lle troes â'i bâr ddaear ddwys, – a rhoi graen
    Ara'i grefft ar ungwys,
   Newidiodd o baradwys
   Caledi'r cel i dair cwys.

A than lasnef Mehefin, – o'i gae gwair
    Dwg ei gewri diflin,
   A'i sawr cras, y trysor crin
   Adref yn fyrnau hydrin.

Lle cyrchai'r wlad un adeg – i'w faes aur
    Fis Awst, ni ddont chwaneg
   I gywain twf ei gnwd teg –
   Dau heddiw lle bu deuddeg.

       *   *   *

Seren ni chny'n gysurus
Heno'i chil, mae'n domen chwys
Yn beichio cwyn ei baich cudd,
Gan flewynna'n aflonydd.
Mae poen ei thymp yn ei thor,
A gwasg ei phyliog esgor.

Y bore rwy'n hyderu
Y gwelaf lo braf o'i bru
Yn sodren ei ansadrwydd,
Yno yn rhemp sugnwr rhwydd,
Byw lygad, gwastad ei gefn,
Tew o'i fongwt i'w feingefn,
Dwyglust wleb ac wyneb gwyn,
Glewaf lo, gloyw'i flewyn.

Olynydd llaethog linach,
O gelf gyfrin Felinfach,

A ddaw o'i wych addewid
I barhau haelioni'r brid,
A hulio stenau helaeth
Cynhaea llawn y can llaeth.

*   *   *

Had y Fridfa hyd f'aur ydfaes – a dyf
    Yn deg hyd ei lawrfaes,
    Eurlliw o drasau hirllaes
    Y Morfa Mawr yw fy maes.

Daeth gwybodaeth helaethach – y gynau
    Gwynion â thwf trymach,
    Cynhaea'u dawn yw cnwd iach,
    A lluniaeth erwau llawnach.

O briodas y trasau, – a gerddi
    Bach gwyrddion y croesau,
    Daeth in had weithion i'w hau
    Nad â'r rhwd i'w ir ydau.

Ni thraidd hyd at ei wreiddyn – na llengau'r
    Llyngyr chwaith na gwyfyn,
    A saif fel ffon yno'n wyn
    Drwy'r ha' gwyllta'i fraisg welltyn.

Yn erwau glas hwnt i'r glwyd, – diliau'r haf
    I'r dail rêp a gronnwyd,
    Ystorfa ffest o irfwyd,
    A maes llaeth y tri mis llwyd.

Trwm yw'r cnwd lle bu'r cwdyn – giwana'n
    Gynnar yn y flwyddyn,
    A deuwell chwistrell na chwyn
    Y miloedd blodau melyn.

Egin haidd, egni addysg, – a glewder
    Hen galedi'n gymysg,
    Boed lawn y grawn a graenus,
    Gwyn fo'i dwf, gynhaeaf dysg.

*   *   *

Agor y bwlch i Gae'r Banc
A wnaf a'r haf yn ifanc,
I selio'n y cladd silwair,
I gân cog, ei ieuanc wair.

Torri arfod drwy'i irfaes,
Grym gêr, a mwg ar y maes,
A llynca'r fflangell wancus
Ei las gnwd fel sugno us.

Rhoi hem am fy mhatrymwaith
O sofl gwyn wrth gychwyn gwaith,
Gan ddwyn yr arlwy'n irlas,
A'i friw dwf i ferw y das,
I wasgu rhin sug yr haf
Yn stôr gwiw nes daw'r gaeaf,
A'i sawr surfelys iraidd
Hyd y cwm yn drwm a draidd.

Eto'r af a'r haf yn hŷn
I gae'r oed â'r gwair wedyn.

I Barc Cefn 'r Ydlan â thrwm beiriannau
Fy mrys i dewdwf y môr ystodau,
Awel o'r 'Werydd, haul ar ei orau
Yn crynu craster y cneufus erwau –
Haearnaidd res o fyrnau – fydd cyn nos,
Yn sawrus ddiddos, i aros ddyddiau.

A phan fo galed bilcorn Medi,
Hyd gwr fy ŷd 'e garaf oedi,
Cyn dod, a'r gwlith yn codi, – o'r chwannog
Gawr olwynog i'w aur haelioni.

Dro ar ôl tro i leibio'i lwybyr,
A'i fore ru ar wifrau'r awyr,
A hael lif y ffrwd lafur – yn cronni
O boen y cwysi'n bynnau cysur.

Mydr a stŵr lle bu'r medrus daro,
Crynu dwys lle bu'r cywrain deisio,
Rhwydd gombein lle'r oedd gambo, – ac afiaith
Medel unwaith, a thrymwaith rhwymo.

A'r man lle bu gynnau erwau gwyry
O faes cynheufus i'w gynaeafu,
Nid erys weithian ond sofl yn cannu
A byrnau crin lle bu aur yn crynu,
A rhigolau'n barau lle bu – cyson
Olwynion trymion yn ei batrymu.

Ond bydd y storws i'w drws o drysor,
Yn pantu o emau ŷd pentymor,
A phan ddaw llid y tymhestloedd didor
A hyllt y cedyrn yng ngallt y Cawdor,
Hyfryd, yn llwydni Chwefror, – cael eiliad
I daro llygad ar ei holl ogor.

Doed y dwyreinwynt a'i gorwynt garwaf,
I mi rhag newyn mae aur gynhaeaf,
Doed eira, cesair, doed y rhew casaf,
I'r fuches gynnes bydd gwlithog wanaf
O luniaeth helaeth yr haf, – a diddos
Wâl ym min nos tan y Clamai nesaf.

*   *   *

Yn y gwynt mae clychau gŵyl
Heno'n canu'n San' Cynwyl,
Bydded wych i'r Goruchaf
Ddiolch dyn yn nherfyn haf,
Am fod irder y gweryd
Yn adfywhau'i dwf o hyd.

Cywreinied côr nodau cain,
I'r Iôr eiriau arwyrain,
A dyger llysiau'r berllan,
Llawenydd lliw'n hedd y Llan,
Am fod, uwch yr Henfam fyth,
Olau'r haul i'r wehelyth.

Eilier mawl Huliwr y maes
Gan y dorf am gnwd irfaes,
A boed hael dan grib y tŵr
Ei glod ar wefus gwladwr,

41

Am noddi o'r myn eiddil
A'i ryw drefn parhad yr hil.

Tra bo dynoliaeth fe fydd amaethu,
A chyw hen linach yn ei holynu,
A thra bo gaeaf bydd cynaeafu
A byw greadur tra bo gwerydu,
Bydd ffrwythlonder tra pery – haul a gwlith,
Yn wyn o wenith rhag ein newynu.

Talar

Border a saib o'u hirdaith, – a chaffe
    Gwas a cheffyl hywaith,
    Man i ŵr gael mwynhau'i waith
    Cyn iddo rowndio'r undaith.

Alun yn Ddeg a Thrigain

Rhowch fwyell yn y balfais
A bilwg yn yr ham,
Dewch mas â'r boiler tato
Drwy'r pil, a'r caws a'r jam.
Dewch chithau fois Llandysul
I dapio'r gasgen fach,
Mae Llywydd y Gymdeithas
Yn ddeg a thrigain, iach.

Ei fod yn fyw o gwbwl
Yn wir, y mae'n beth syn,
Waeth ni fu'r fath ebolyn
Yn troedio'r bröydd hyn,
Fe ga'dd y gwaetha'n sobor
Pan oedd yn grwtyn bach,
A rhai o'i frodyr hyna'n
Ei glymu yn y sach.

Bu'n cysgu ar y storws
Yng nghwmni'r llygod mawr,
A'r rheini gymaint deirgwaith
Â'r llygod sy'n bod nawr,
Pan godai yn y bore
Roedd ei sgidiau yr holl wlad,
A'r llygod a ofalai
Am gropio'i 'winedd trâd.

Fe greodd lot o gynnwrf
Yn eisteddfodau'r lle,
A bu yn hwylio'r tonnau
A'r bobi yn y Bê,
Fe welodd stormydd cesair
Fel platiau ar y clos,
Ond rhywfodd fe ddaeth allan
O'r cyfan yn jecôs.

Ac nid yw'r bont yn Llanarth
Bob amser wedi bod
Cyn lleted ag yw heddiw,
Ac iddo ef mae'r clod.

Un pwt bach wrth fynd heibio
Â'r Ostin mawr a roes,
Ac fe wnaeth job a gymrai
I'r cownsil hanner oes.

Bu'n bracso'n yr Iorddonen
Fwy nag unwaith, mynte fe,
Ac o gwmpas drws Paradwys
Fel petai i fwcio'i le,
Ond nôl y daeth bob gafael
Yn ddiogel o bob clwy,
Bydd raid i ni gael nacer
Cyn cael ei wared mwy.

Ar Gerdyn Nadolig

(I T. Llew Jones a Guto, ei ŵyr yn flwydd oed)

Ewch i rowndio eich *reindeers*, – a llenwi'ch
    Llywanen â chracers,
  Ewch i wisgo eich wisgers, – a rhodio
  Er mwyn Guto mewn ermin a *gaiters*.

Nadolig '66

Seinier y neges yn nhai'r enwogion,
Boed llawenydd ar aelwydydd tlodion,
Caffed plant gofal a'r trwm o galon
Eli rhinweddol yr hen newyddion,
Tawer llid ein trallodion – a'n casâu,
A sain carolau dros ein cwerylon.

Cywydd i Ofyn am Fenthyg Peiriant

Eto ym mhang fy angen
Dof yn bowld ar d'ofyn, Ben.
A da gwn, er dod ganwaith,
Yn waglaw nid awn un waith.
Wyt fyth y parotaf ŵr,
Mynwesol gymwynaswr,
Da gymydog im ydwyt,
I fenthyciwr rhoddwr wyt,
Mae'n bur siŵr, rŷm yn bâr sydd
Yn gweled gwerth ein gilydd.

Yn ei dymor rhoist imi,
O gyflawnder d'offer di
Fenthyg popeth, ni fethais –
Achwyn fy nghwyn, cael fy nghais.
Ces dy dractor rhagorol
Hyd yn hyn, a'th styden ôl,
Llif a rhaw a llafur had,
A phair, trowr gwair ac arad,
Iâr glwc a shwc, rhaff pen sied,
Gwagen a rowl ac oged.
I gwyn taer bâi'n job gen ti
Omedd y missus imi!

Darfu, drwy drafferth dirfawr
I mi hau y Cefen Mawr,
Ac nid drwg yr olwg oedd,
Cymen fel Eden ydoedd,
Ond mae brain ar diain yn dod,
A thonnau o sguthanod,
Gyda'r wawr i godi'r ŷd –
Anafu'r egin hefyd,
A'u tynnu bant yn y bôn,
Y du fandaliaid eon.

Gan eu herlid yn ddidor
Eu hela bûm â'r twel bôr.
Cropiais drwy glais yn y glaw
Yn ddi-hast, hollol ddistaw,

Ond diawch, o'i lwcowt uchod
Sentry du a'm gwelai'n dod,
A chodent yn ffluwch wedyn
O flaen fy methiant fel un,
A phrin draw o ffroen y dryll
Disgyn yn gawod esgyll.

Prynaist o bant beiriant bach
A elwi'n Babi Bwbach,
Bird Scarer bob hanner awr
A enfyn ergyd synfawr.
(Y mae'n bryd i Barri Bach
Ei enwi yn amgenach).
Yn awr i daer a roi di
Gymorth ei fenthyg imi?
Rwy'n addo ei oelio'n hael,
Gweini'i ddiffyg yn ddiffael,
Addo riparo pob peth
A dyr fy llaw ddidoreth
A wnaf, a dod ag e'n ôl
Allan fel daeth e'n hollol.

A'r howitser i atsain
Ergyd braw 'e godai brain
Cefen Mawr o'i lawr yn fflyd,
A chilio heb ddychwelyd.
Wythnos o ddôs fydd eisiau
Oni fo'i ŷd yn cryfhau,
A rhag rhaib y crawcwyr hyn
I ddod caiff lonydd wedyn.

Os oes ha' go dda i ddod
I'w gywain yn ddigawod,
A chnwd yn uwch na 'had nôl
A haidd yn talu'n weddol,
Prynaf un yn nherfyn haf
I'w iwsio'r flwyddyn nesaf,
'E dyngaf, rhag bod angen
Mwy i mi dy boeni, Ben.

Y Bwthyn

Rwy'n meddwl am Woolaway – i orffwys
    A gorffen fy nyddie,
  Man cyhudd, rhyw lonydd le
  Fel bwthyn Alun Cilie.

Troi o'r tir a riteirio – yno wnaf,
    Cyn i'r nos ddod heibio,
  I fwynhau'n y fan honno
  Hydref a'i hud araf o.

Nid af ragor ben bore – lawr y lôn,
    Lori laeth ers orie
  A'i hiach yrrwr yn chware
  Ei ddwl gorn – i ddiawl ag e.

Mi ni thrafferthaf mwyach – i garthu
    Dan y gwartheg bellach,
  Na slafio i gario gweiriach
  O hyd, a'u bwyd i'r da bach.

Daw'r amser na phryderaf – am yr ŷd
    Mwy ar wael gynhaeaf,
  Na llo strae yn y gaeaf,
  Dŵr clais na chreadur claf.

Gwisgo'n gymen ddydd Gwener, – mentro mynd
    Tua'r mart fel arfer,
  I ymson am 'rhen amser
  Yn sŵn hwyl yr ocsiwnêr.

A thebyg y daw pigiad – o hiraeth
    Am y tir a'r arad
  Pan welaf lo neu ddafad
  Yn y ring yn mynd yn rhad.

Yna i'r bwth troi o'r bar – i wrando
    Ambell ffrind awengar
  Yn creu cerdd, a pharcio'r car
  Yn nhawelwch Pen Talar.

Er Cof

(am D. J. Evans, Awelfa, Blaen-porth)

'Bydd cyngerdd yn Boncath nos Wener, bois' –
Gan rwbio'i ddwylo ynghyd,
'Y bws yn dechrau o Sarnau am saith,
Treiwch fod yno mewn pryd.'

Bum munud y mygyn nos Fercher y gân
Ag yntau'n ei seithfed ne
Yn drylwyredd i gyd yn gosod y drefn,
Ac yn peswch o Graven A.

'Dewch â chopïe '*Nidaros*', bois,
A '*Martyrs*' a '*Crossing the Plain*',
A 'Llef' a 'Myfanwy' ar gyfer encôr.
Fe ddaeth llythyr o Abergweun.'

Cyn cymryd ei le yn y llinell flaen
Rhwng y Siopwr ac Ossie a Wil,
A chwys ei ymroddi yn llenwi drachefn
Ei phiol boddhad hyd y fyl.

'Dere miwn, dere miwn, – byddwch ddistaw'r cŵn –
Rwy' ynghanol llyfrau Bryn-mair,
T.J.'n ffaelu dod Sul cynta Awst,
Mae'r cwbwl i gyd yn ffair.'

Ar aelwyd Awelfa fore Sul y cwest,
Gan rwbio'i ddwylo ynghyd
Siaradai am Alwyn ac Arwel a Mans
Fel 'tai'n eu nabod o'r crud.

'Doubown o staple, ddwedest ti, Dic . . .'
Gan rwbio'i ddwylo ynghyd,
'A thair swch Ransome a dysen o fyllt . . .
Mae'r "*Martyrs*" yn gwella o hyd.'

Ar Ddydd Llun y byd, dros gownter y Cop
Lledaenai efengyl y Côr,
A'i ddwylo'n ddifeth yn gwybod i'r dim
Gynnwys pob silff a phob drôr.

Daeth angau, a minnau 'mhell,
I'w gau ef yn ei gafell,
Angau oer o'r ing araf,
Saeth drugaredd ddiwedd haf,
A'r Cop a'r Côr a'r Capel
Yn cydgrynhoi i roi ffarwél.

Capel

Pregethwyd y 'Na Ladd' yn sŵn amen
Yr etholedig wyth o'i bulpud pîn
Sawl canwaith, siŵr o fod. Eithr fe roed sen
(Mae rhagor, medde nhw, rhwng trin a thrin)
Ar ddau neu dri o'i feibion ef a fu'n
Rhy ddewr i fynd i 'farw dros eu gwlad',
Gan gyndyn ddal fod siwt brawdoliaeth dyn
Yn ffitio'n ddigon gwell na chaci'r gad.

Usuriaeth; fe ddaeth honno dan ei lach
Yn awr ac yn y man, gan lwyr foddhau
Y dorf, ac eto bwriwyd hatling fach
Plât casgliad Cred i brynu dryll neu ddau.
Ar fur tu cefn i'r pulpud hoeliwyd plac
I goffa meirwon trin, a chuddio'r crac.

Roced

Dirybudd dafod o fwg yn codi
Ar uchel anel gan fras wreichioni,
Ac yna taran o'r graig yn torri
Corws dialedd uwch cwrs y dyli,
Gan adael eco'n tonni – a gwanhau,
A'i rhes gymylau dros Ogo Mali.

I Ted Morgan (Llandysul)

Doed pawb o'r fro a phell i ffwrdd
I harddu cwrdd y cerddor,
A doed datgeiniaid mawr eu bri
I'w lonni a thelynor,
Ac i'w anrhydedd doed y plant
Â phasiant i'r Proffesor.

Ym mhob Eisteddfod lle bu'r brawd
Ni châi unawdydd drwbwl,
Cans am gynghanedd a phob cord
O'r cibord gŵyr y cwbwl,
Ac am bob punt a gâi o bae
Ei aberth haeddai ddwbwl.

Trafaelu holl bentrefi'r sir
Yn hir a hwyr drwy'r gaea,
O Aber-porth i Grug-y-bar
A'i gar drwy rew ac eira,
A dychwel adre i gyffroi
Y ceiliog o'i gwsg ola.

Am hanner canrif wrth ei gefn
Yn cadw trefn bu Annie,
I baratoi y bara te
A'i gynnal e i ganu,
Waeth ni fu gŵr erioed o les
Heb ddynes i'w ddiddanu.

Paradwys wen priodas aur
I'r ddau rwy'n ei ddymuno,
Boed hir brynhawn ar gwr y maes
I deilwng laesu dwylo,
A llonned nodau'r gerdd a gâr
Ei feistres a'r hen faestro.

Am iddo fod drwy gydol oes
Wrth bethau moes yn ddyfal,
Heb chwennych bri na cheisio clod
Awdurdod yn ei ardal,
Fe bery'r gerdd o fewn ein bro –
A hyn fo'i destimonial.

Portread o Grefftwr (Jonah Webb)

Islaw rhes loyw o rasus – yng nghyfyng
    Ofod ei sied fregus
    Mydrai â'i forthwyl medrus
    Donau o'i lest yn ei lys.

Rhoi'i hanes ar dro inni, – a'r taro
    Taer i'w atalnodi,
    Ni bu iddo'r un stori
    Haeddai hoe i'w hadrodd hi.

A llafn ei gyllell lyfnwedd – yn fisi
    Ar fasarn y llynedd,
    A'i C fain hi'n cafnio'i wedd
    Yn sicr feis y cryf fysedd.

Ei drefn oedd pawb yn ei dro, – a diau
    Pe dôi'r brenin ato
    Â'i glocs ar ei ddisgwyl o,
    Ni roddid ffafor iddo.

Heriwn anair neu weniaith – i ddyfod
    Dros ddeufin ei lediaith,
    Gwyro dim o'i gred ymaith,
    Heb air wast, yn bwrw i'w waith.

Clocsen gadarn na roed arni – ergyd
    Wyrgam na dim ffansi.
    A'r addurn gorau iddi
    Ei glendid di-wendid hi.

Llythyr Gywydd At Aelod Seneddol

Bryntirion,
Byron Terrace,
New Slough,
Near Ynys Las,
Nos Sul.

Ein Hoffus Aelod,

Llythyr byr mewn ffydd eich bod
Yn iach fel yr ydym ni
Heblaw helynt beil Wili.

Yr awron anfon yr wyf
O waelodion trwbl ydwyf,
I ofyn – ond gwell hefyd
Os cewch yr hanes i gyd.

Helais bant i nôl ffowls bach,
Rhod Eiland, ni cheir delach,
A'u dwyn fel pob ffowlwr doeth
I'w *run*, ond bore drannoeth
Ffowlyn yn gorff a welwyd
Ag olion y lladron llwyd
Ar ei wddwg pur, eiddil.
Melltithiais, rhegais yr hil,
Ond, myn Mair, ni wnâi'r un iaith
Rod Eiland o'r brawd eilwaith.

Âi'r haid bob bore wedyn
Yn griw llai ar gwr y llyn,
Er gwenwyn pob cynllwyn cig
I'r *run* dôi'r llygod Ffreinig.
Sbortient, caent flasus barti
Fin nos ar fy nghefen i,
A Meri Mew yn mewial
Yn rhy dew i fedru'u dal.

Ffeiriais y gath am ffured
Â rhyw ŵr oedd yn y trêd,

52

Un wen, fain, a ffroen finiog,
Da ei chlyw, melfed ei chlog,
A deuddant fel nodwyddau,
(Mae'u hôl ar y bysedd mau).

Cedwais y gwalch mewn cwdyn
O dan y wal hyd yn hyn.
Ond och, un rhy ddrewllyd yw,
Dadi o ffured ydyw.
A'r wraig yn dechrau rhegi
Ac yn fy annos 'Nawr dos di
I godi tŷ i gadw Twm,
Un rhy fudr yw i fedrwm'.
Minnau ar ei dymuniad
Es i dref, prynais dŷ rhad
A'i godi o dan goeden
Onnen hardd a honno'n hen.

Gwae fi fy mhensaernïaeth,
Rhyw ddydd cynghorwr a ddaeth.
Fe'i gwelodd, gwaeddodd, 'Gwyddoch'
(Y bwli cas a'r blew coch!)
'Di-hawl yw i un deiliad
I wneud tŷ heb ganiatâd,
Y mae fformiau a phermit
I'w llenwi cyn codi cut.'
'E gymrodd gam, a rhodd gic –
Ar ôl does dim ond relic.

Ystyriwch, syr, fy stori,
Onid tost fy helynt i?
Rhag bod heb ieir i ddodwy
Rhaid i mi wrth ffured mwy.
Es i gost i blesio Gog
A'm mygu gan lid Magog.

A wnewch-chi godi f'achos
Yn ddewr a'i ddadlau'n ddi-os
Yn y Tŷ er chware teg?
Na hyn ni cheisiaf chwaneg.

Welsh Day fyddai'n gyfle gwych,
Gwn fod y doniau gennych.
Oni ffaelwch cewch ffowlyn
Neu beint oni bydd byw un.

Cannoedd o gofion cynnes,

Huw Puw, mewn gobaith.

P.S.
Dy bôl pe deuai balot
A fyddai fwy o ddwy fôt.

Mini Sgert

Datguddiodd Dot ei gwddwg, – yna daeth
Ei dwy fron i'r amlwg,
Bu dda'r rhain, felly ba ddrwg
Dod â'r gwaelod i'r golwg?

Etholiad '66
(Sir Aberteifi, Mawrth 31)

Mynnai efe mai ennill – eto'n nêt
A wnâi ar y gweddill,
Ond dyma'r ffaith mewn saith sill:
Y Libral oedd ffŵl Ebrill.

Barry John

Gŵr di-rwysg, rhedwr ysgon, – un steilus
Â dwylo dal sebon,
Cŵl, gwddyn, ciciwr union,
Boi ar jawl yw Barry John.

I Syr Ifan Ab Owen Edwards

Fonedd gwlad ein cyndadau
Henwyr ein tir a'n to iau,
Rhoddwch oll ar gerdd a chân
Oreufawl i Syr Ifan,
A boed bywyd ab Owen
Yn dal lamp i'n cenedl hen.

A hithau'r Urdd ar ei thro
Adref o'i mynych grwydro,
Eleni doed telynor
I gweirio'i ddawn ger ei ddôr,
Ac o'i chiprys hapus hi
Leisiau'r Wŷl i'w sirioli.

Ymleded mawl i dad maeth
Egin y weledigaeth,
A'r gofal fu'n cynnal cyd
Ei dw, a'r llafur diwyd.
Lle bu ei law fe brawf bri
Yr erw las i'r arloesi.

Seinied ffres unawdau ffraeth
Y Gymraeg mwy wrogaeth
Wrth orsedd ei ryfeddod,
O lan i lan dathlwn glod
Brenhiniaeth brawdoliaeth dyn,
Ideoleg y delyn.

Yn Angladd Gwenallt

Ddoe 'e beintiodd â'i bwyntil – yn gignoeth
Goegni dyn a'i epil,
Cawr y Ffydd a'r corff eiddil,
Heddiw'r aeth i ffordd yr hil.

Cofio

(E. J. Jones, Bank Cottage, Aber-porth)

Gwelais gau mewn gwely sgwâr
Ŵr, ddoe dan glawr y ddaear.
Rhoddwyd y pridd hyd y pren,
A'r dorch ar y dywarchen,
Ac am fud ennyd bennoeth
Gwelwn wae y galon noeth.

Gwelwn ing a'i galwai'n ôl,
Pe medrai'r gamp y meidrol,
Ac i'r bedd a omeddai'r
Hoenus gorff, eithr hyn nis câi.

Yno gwelwn gywilydd
Selio'r derw ar slawer dydd
Llawer i hen bartneriaeth,
A phellhau hen ffrindiau ffraeth.

Yn ddiflas dyrfa astud
I gof fe'i galwem i gyd.

Un a'i cofiai'n llanc heini,
A'r llall, yn gampwr y lli.
Un, i gwrdd yn cydgerdded
Neu'n codi sinc i doi sied.
Un, fallai a alwai'n ôl
Y bil nwyddau blynyddol –
Weier bigog neu oged,
Hoelion, swch, neu bolion sied,
A hael hefyd ei lwfans
Ar bris y cêl neu'r brws cân.

Hen gyfaill – hawdd ei gofio
A'r gwys gul ar ei gwsg o.
A gyfyd ar ei geufedd
O fynor faen ar ei fedd,
Gwnaed ef yn blaen o raenus,
Heb feflau na brychau brys,
Nac ôl afreidiol frodwaith,
Na dim ond glendid ei waith.

Yn hytrach, boed yn batrwm
Yn ei le yn berffaith blwm
A sgwâr, canys y gorau
I hwn neu ddim, yn ddi-au.

Min ei ddwys amynedd o
I'w eirf, a'r ddawn i gerfio
Ôl chwerthin a ffraethineb
Yr hen iaith uwch hwn, er neb.
Caffed er creu goreugwaith
Gynhorthwy gwên wrth y gwaith,
A rhoi camp i'r garreg hon –
Islaw mae Jones y Leion.

Sioni Wynwns

Pwy sydd bob hydre'n dod drachefn
O ddrws i ddrws yn ôl ei drefn
Â'i raffau'n hongian ar ei gefn?
Sioni Wynwns.

Pwy sy'n trafaelu drwy'r holl sir,
Pob tref a phentref yn y tir,
Drwy fisoedd oer y gaeaf hir?
Sioni Wynwns.

Pwy sydd o hyd yn gwisgo tam,
A'i iaith yn od a'i drwyn yn gam,
A phwy sy'n galw 'Ti' ar mam?
Sioni Wynwns.

Ac wedi curo mynych ddôr
Nes gwerthu'r cyfan o'i ystôr
Pwy sy'n dychwelyd dros y môr?
Sioni Wynwns.

Ceredigion

'E glywyd mawl teg wlad Môn,
A mawredd bryniau Meirion.
I Arfon canodd tyrfa,
Myrddin a bro Ddewi'n dda,
Ac unwaith cadd Morgannwg
Alaw mawl i'w glo a'i mwg.
Ai llai na'r rhain fy sir i,
Oni haeddodd gân iddi?

Ardaloedd lle mae'r delyn,
Y mae ei bardd ym mhob un,
A'i gwladwyr goleuedig
Yn eu gwaith mewn cae a gwig.

O'i lawntiau hi'i phlant a aeth
I forio o fae'u hiraeth,
A mynd â'u pecynnau main
Yn llond marsiandai Llundain.
Pulpudau, cadeiriau dysg
A swyddi mantais addysg –
I'r rhain oll, heb eu prinhau,
Y rhoes siâr o'i thrysorau.

Bro dawel ym min heli
O lethr moel a thrum yw hi,
A thir moeth i'r amaethon
Rhwng Teifi, Dyfi a'r don.
Lle tegwch gwyllt a gwych gae,
O gacadgwm ac ydgae,
Moelydd a thraethau melyn
A dŵr glas a dirgel lyn.

Doed y bluen a'r enwair
Draw o ffws a stŵr y ffair,
Bydd llinyn tyn tra bo tarth
Dŵr can ar raeadr Cenarth.
Caried heiciwr ei docyn
A'i sgrepan i'r fan a fyn,
Ni welodd ail i hedd hon
I'w wared o'i bryderon.

Bu erioed yn baradwys
I'r gŵr a gâr gywir gwys –
Ôl llym gymhennu mynych
A hen grefft ar blygiad gwrych –
Du a gwynion digonol
O laethog dda ar wlithog ddôl,
A phreiddiau hyd lethrau'r wlad,
A stalwyn yn pystylad.

Ei murddundod a nodant
Hanes ing mynach a sant,
A gorwedd yn ei gweryd
Ddafydd fardd Morfudd yn fud.

Mae'r hen blastai'n westai'n awr
Wedi gyrfa'u bost gorfawr,
A dorau'r lawntiau ar led,
I werin yn agored.

Mae deheulaw groesawgar
A napcyn gwyn i bawb gwâr,
A ffarwel hoff yr ail waith
Ati'n ôl a'i tyn eilwaith.

Er cynllwynion estron ŵr
I'w ddifodi'n Ddyfedwr,
Yn ei sir i hir dario
Boed Cardi, corgi a'r cob.

Y Mart

Tâl gwael am dy gatel gwych, – rhoi'n anrheg
    Dy wartheg pan werthych:
  Arian hallt am sgrîn o ŷch
  Yno'r hanes pan brynych.

Cywydd Cyfarch

(I Isfoel, ar ennill ohono anrhydedd Derwydd)

Hwrê i'th lwydd, Derwydd y wên,
Curadur bois Ceridwen.
Ffatri pyn, crefftwr pennill,
Artist perffaith y saith sill.
Wyt yn frenin ffraethineb,
Campwr gwlad yn anad neb.
Dy ddifeth ergyd ddeifiog
Mwy'n ei lle ar y Maen Llôg.

Diail grefft dy liwgar iaith
A chastiau dy orchestwaith,
Ail hudol chwedlau ydynt
Ar ddeufin y werin ŷnt.
Wyt ei rhamant mewn trymwaith,
Wyt ei gwên wrth bost y gwaith,
Wyt waddol y saint iddynt
O gyff y derwyddon gynt.
Wyt ddewin a chyfrinydd,
Yn ddyn y gelf a'r ddawn gudd,
Wyt chwedl dy genedl, a'th gân
I'w diwallu red allan.

Wyt dderwydd o ran blwyddi
Ac arian dw dy gern di,
Dy drwm droed, dy drem drydan,
Ac â'th hudlath ddiwahân.
Wyt grin o henaint, wyt grwm,
Wyt haul o'r byd ers talwm,
Wyt ddiamser, a heri
Gwmpawd oes i'th gwympo di,
Ac eto'n llesg wyt yn llanc
Rhywiog dy fydrau ieuanc.
Os yw y corff yn llesgáu
Afradlon dirf yw'r odlau.
Heini fel ŵyn y Foel ŷnt,
Cedyrn a didranc ydynt.
Dy gabol waith dy gwbl yw,
Dy fryd, dy fara ydyw.

Wyt mewn oes aml ei chroeswynt
Glwm ag oes ap Gwilym gynt,
Ei ail, wyt o'i wehelyth,
Yr hen fardd, wyt fodern fyth,
Wyt saff o haeddiant dy swydd,
Wyt ddihareb, wyt dderwydd.

Eifion

(Pregethwr, bardd, arlunydd a chanwr,
a fu farw mewn damwain ar y ffordd)

Ai hwnnw imi fu'n gymar
Sy brae dwys y 'wiber dar'?

Ŵr di-frad, ai ef yw'r un
Arswydus ei farw sydyn?

Ai'r môr llais, ai'r hiwmor llon
A aeth mor ddistaw weithion?

Ai llaw gynnil eiddilwch
Llun a lliw sy'n llan y llwch?

Ai'r ddawn fu'n cyd-farddoni
Na fedr mwy fydru i mi?

Ai gŵr y Ffydd sy'n gorff oer,
Ai llygaid Cred sy'n llugoer?

Nid Trevaughan! Eifion ifanc!
Nid ef sy 'nghist ei drist dranc!

I Dri Arwr Tryweryn

Driwyr eirias Tryweryn,
Mawl yw'ch hawl pe mynnech hyn.
Ein mawl ni, a chymyl nos
Drosom dro'n heigio'n agos,
Ni y sect orbarchus sydd
Yn dod i'w difod ufudd,
Gan dybied o'i chaledi
Mai gair twym a'i gwared hi.

Haeddwch well nag ambell gân
A rwydd drawo'r bardd druan,
A threch clod na ffregod ffraeth
Gŵr y wig a'i warogaeth.
Er mwyn y llef fu'n llefain
Drwy holl oes-oesoedd y drain,
A'r rheol a fythol fyn
Barhad i bob ryw hedyn.

Gwyn eich byd, digona'ch bodd
Clod unig galwad anodd.
Chwi adwaenwch eich deunydd
A hun drom cydwybod rydd.
I mi ar ddod mae'r her ddi-os
Fory'n fawr yn fy aros.

Gwae chwi eich plan dianaf
Yn rhedyn ir yr hir haf.

Gwae chwi'r sawl cliw diniwed
A'r cŵn di-sŵn yn y sied.

Gwae chwychwi yr holi hir,
A'n gwrol blismyn geirwir.

Gwae chwi fod aberth ifanc
Yn llenwi llogelli gwanc.

Gwae chwi drac drwy'r gwychder ôd,
Gwae ddeufwy hogiau'i ddifod.

Haeddwch gan wlad eich tadau
Ddedfryd well na'r gafell gau
A hir wasgfa prawf rhwysgfawr –
Twrnamaint twrneion mawr –
Brwd air a bri dihirod
Ar donnau dwys radio'n dod.

A'n cenedl ddiaconaidd
O dan fawd, eich clod ni faidd.
Rhy'i thrwm warth ar y merthyr
A'i gwg ar ffwlbri ei gur,
Sen a gwawd y sinig oer
A dau lygad gwlad lugoer.
Na chasewch o'r achos hi,
Y mae'n cenedl mewn cyni.

Na foed eich collfarn arnom
Yn nos hir eich cyfiawn siom.
Yn rhywrai mae'r marworyn
Losgo'n fud o hyd ynghyn.

A folo'r bardd, fe eilw'r byd
Yn ddifai drennydd hefyd.

I'r Parch. a Mrs Tegryn Davies

Bydded i'r neb a'i haeddo
Ei fawrhad cyn ei farw o.
Rhag mor isel ni wêl neb
O'i ddu geufedd ei gofeb,
Na gŵr sy dani'n gorwedd
Grug o fawl ar garreg fedd.

Disgleiried ysgolorion
A thrwy'u sir ni thewir sôn,
Eithr erioed mae athro'r rhain
Yn brin o'u bri eu hunain.

Nydded fy awen heddiw
Ei cherdd o barch a'r ddau byw.
Hawdd amau a ddôi imi
Heb y rhain fy nhipyn bri,
Na cheinion hen farddoniaeth
Na chainc hoff na chanu caeth.
I'n hardal a fâi geirda
A pharch yng nghylchoedd sol-ffa
Heblaw hwy? A fyddai blys
Canu corawl concwerus
Yn ein bro i ddwfn barhau,
Na rhoi tôn ar y tannau?

Ein diolch i bâr diwyd
A'u dileit yn dal o hyd.
A ninnau'n fois y rhoisom
I'r ddau eu siâr dda o siom,
A'r Aelwyd ddi-reolau
Yn doll ar amynedd dau
Yn amal, wrth ddal y ddôr
I'r drwg a'r da ar agor.
Yn y sŵn ar nos Wener
Nid syn petai'n ffaelu'n ffêr
Eu hamynedd rhyfeddol
A'u didor nerth di-droi'n ôl.
Gwenent lle bâi'n haws ganwaith
I'r rhain roi'r onnen ar waith.

Ffugient mewn bws gwsg yn gall,
Ar hwyr awr troi'r ffor' arall
O seti'r gwt a stŵr gwyllt
Awr garu'r adar gorwyllt,
Yna gweld yn un ac un
Priodi'r parau wedyn.

Derbyn wrth ddeddf Eisteddfod
Yn gwrtais ei chlais a'i chlod,
A breichio pob rhyw achos
Mewn cyngerdd blin wedi nos
Heb dderbyn, heb ofyn hur,
Hyd y wlad mae'u dyledwyr.

Llwybrau

Mae'r llwybrau igam ogam draw'n y dŵr
Yn croesi'r bae fel wêc rhyw gonfoi hud,
Mae'r tywydd teg yn mynd i bara'n siŵr,
Bydd mecryll, lond ein pedyll, fory i gyd.
Siawns na fydd Jac a Morlais gyda'r wawr
Ar hyd y llwybrau'n rowndio Cribach draw,
A dychwel cyn i wŷr y gynnau mawr
Ollwng y roced gyntaf, gyda'r naw.
Bydd sythach llwybyr honno, pelen dân
O grib y graig yn tynnu'i chynffon chwim
I ucheldrau y cymylau gwlân,
Gan ddringo'n gynt na'i sŵn nes mynd yn ddim.
Y *Shirley Kay*'n dod fewn a'i helfa'n fras
A'r *Wimborne** heibio i'r bwy yn bwrw mâs.

*R.A.E. Recovery Vessel

Y Dewis

Megis y mae, pan af drwy iet y clos,
O ddwyffordd ddewis im, (y naill i Gae
Cwm Bach a'm harwain i, a'r llall i'r Rhos);
Megis, ym myrddydd Rhagfyr noeth, y mae'n
Y ddeugae fel ei gilydd bwysig dasg
Sy'n gofyn sylw'r unpar dwylo hyn
Â chydradd taerni ac un llais, a gwasg
Y dewis rhyngddynt hwy ill dwy yn dynn;
Megis y lled hiraethaf i na bawn
I ddiarosrwydd un o'r ddwy yn ddall
A gorffen, cyn yr elo'n hwyr brynhawn,
Heb ddannod iddi f'amser prin, y llall;
Mae dewis rhydd i mi rhwng gwir a gau –
Dewis nid oes rhag dewis rhwng y ddau.

Fietnam

(Cytunodd Washington a Hanoi, ar ofyn y Pab,
i gadw cadoediad dros y Nadolig.)

W. Oeder cad y rocedi,
    Tangnefedd fo ein gweddi,
    Pen-blwydd ein Harglwydd yw hi.

H. Ganwyd rhyw Grist gynt i'r groes,
    Daliai efe fod eiloes
    Medd ei lyfr, maddeuai loes.

W. Arafer yn enw Rhufain
    Wae y fom a'r bicell fain
    Ar y beichiog a'r bychain.

H. Yn ei ing ni wnâi'n angall
    Droi llaw i daro y llall,
    Na chwerwi, troi'r foch arall.

W. Cilia haelioni'r Calan
    Draw'n ei dro, yna druan
    Â'r Fiet Cong a'r Fatican.

Cyffes

Y mae Rheswm wedi 'nallu
Rhag im weld yr hyn sy'n glir,
Y mae Gwybod wedi 'nhwyllo
Rhag im gredu'r hyn sy'n wir.
Mae'r hen hiraeth eto'n aros,
A'r hen serch o hyd ynghyn,
Ond mae ffydd hen blant y gorthrwm
Wedi pylu erbyn hyn.

Anghredadun yw fy enw,
Wedi dwlu'n sŵn y ffair,
Nid yw nef ond enw mwyach,
Nid yw uffern ddim ond gair.
Ond pan glywaf hen ganiadau'r
Saint yn crynu yn y gwynt,
Rwyf yn cofio'r etifeddiaeth
Ges i gan fy nhadau gynt.

Rwy'n bodloni ar fy mhorthi
Ar fwynderau hyn o fyd,
Ac yn siarad am ragoriaeth
Maeth amgenach yr un pryd.
Ond mae'r tân sy'n llosgi'n farw
Eto 'nghyn yn llwch y llawr,
Ac yn disgwyl am yr awel
Ddaw i'w chwythu'n goelcerth fawr.

Nadolig

Dros y gorwel fe'i gwelaf
Yn nesáu a hithau'n haf.

Y mae i'w weld ar y mur
Yn siop y pop a'r papur –
Ei dai gwyn a'i deganau
A'i gelyn a'i goetsmyn gau,
Ei robin taer a'i bîn tal
A'u tresi pert o risial,
A'i adeiniog fwchdanas
A chnaif o luwch a nef las.

Rhoddion fy hyder oeddynt
A ges yn fy hosan gynt
Cyn dydd chwith fy nadrithio
O'r sant hael a'i bresant o,
Coelio'i fyw rith, cael fy rhan,
Callio o'r cof, colli'r cyfan.

Ei ŵn a fydd eleni
A'i wen farf amdanaf fi,
A bydd yn f'aros hosan
Bitw ynghrog dros glustog lân,
A'i chlun fach a lanwaf fi
O lywanen haelioni.
Wedyn bydd rhywun a'm cred,
Un ieuanc a diniwed,
Fy rhwydd gelwydd a goelir –
Rhai gwag yw hosanau'r gwir.

'Nhaid

Mwyn ei air fel emyn oedd
Fy nhaid, a chyfiawn ydoedd.
Yr hen ŵr â'r rhawn arian
A'r llygaid llon, gleision glân.
Pob aelod yn dannod oed
A gwenwyno gan henoed.
Anniogel ein deugam
Hyd lechwedd, cydwedd ein cam,
Byr yw hyd cam bore oes,
A'r unwedd yn hwyr einioes.

Ei hen ysgwyddau, roedd osgo iddynt
Fel un wrth ildio yn herio'r oerwynt,
Fel drain o flaen dwyreinwynt, ar gloddiau
Yn crymu eu gwarrau rhag grym ei gorwynt.

Yn ei lygaid byw amlygwyd bywyn
Yr her a'r hyder sy'n hollti'r hedyn,
A'r aidd sy'n bwrw'r gwreiddyn i'r ddaear
I roi ei gynnar nodd i'r eginyn.

Yno i'w weled roedd oesol olau
Anniffodd wreichion haul yr aeonau,
Fu'n rhoi'u hufen i'r hafau helaethwych,
O wyrthiol lewych ei goelcerth liwiau.

Yno roedd lleuer aeddfedrwydd lliwus
Hydrefau'r darbod, a'u swae difrodus
Yn dwyn wrth anorfod wŷs eu hoerfel,
Fedel anochel y cangau beichus.

Yno yn ddwfn yr oedd deunydd ofnau
Y niwloedd afiach a llach y lluwchiau,
A'r rhew gwyn sy'n sicir gau'n dymhorol
Ei garreg lethol dros ei groglithiau.

Mewn cell ers galar bellach,
Y mae'n gorwedd mewn bedd bach
Yng nghornel Llancynfelyn,
Yno'n gaeth dan y maen gwyn;
Eginodd fel y gwanwyn
Yn ei bryd a bwrw'i ŵyn,
A darfod fel y blodyn
O'r gwyrthiau heb amau'r un.

Y Seiad

(Er cof am S.B.)

Mae'r ysig, dysgedig ei wedd, – y dweud
   Didwyll a'r trylwyredd?
Seiad Awst yn trist eistedd
Ag S.B. dan gwys y bedd.

Mae ei arweiniad tadol, – ei wybod
   Diball a'r ddadl gabol,
Ei dirion air di-droi'n-ôl
A'i ddistawrwydd ystyriol?

Cyfoeth cof, aeth y cyfan – i waelod
   Dwylath o gell fechan,
Camp iaith ac addysg weithian
Hwythau ar goll, a thau'r gân.

Er Cof

(Bu farw David James, Brynhyfryd, cerddor, gŵr cyhoeddus, ffermwr.)

Hydref hwyr, a'r dorf araf – yn hebrwng
    Obry arch a welaf,
    A rhoi i bridd henwr braf –
    Sêl y gymwynas olaf.

Yno'n syn cantorion sydd – gofia'r llais
    A gwefr llaw arweinydd
    A lywiai'r dôn slawer dydd,
    Y llaw wen sy mwy'n llonydd.

A'r unwedd rhai ohonynt – a gofiant
    Gyfaill a fu iddynt
    Yn gefn mewn Tribiwnlys gynt,
    A dwrn Awdurdod arnynt.

Rhywrai ei eiriau araf – ar y Fainc,
    Neu ar Fawrth y cyntaf.
    Mae yr acen Gymreiciaf
    Mwy dan glo, mae Dewi'n glaf.

Ar y Sul fe gofia'r saith – sydd o fewn
    Y Sedd Fawr gydymaith,
    Lle bu'n penwyn dad unwaith
    Mae'i le'n llwm a'i wely'n llaith.

Fy hun, mi a'i cofiaf ef – â bilwg
    Neu bâl yn yr hydref,
    A'i glawdd yn diogel addef
    Ei barch i grefft a braich gref.

Âi'n llon pe gallai heno – er ei oed
    I'w hyfrydwch eto,
    I drin ei raw ddiflino,
    At ei fedd i'w dwtio fo.

Cywydd Diolch am *Eiriadur y Bardd*

(Trafaeliwr yw'r rhoddwr hael
Yn stwff y Jacobs ddiffael.)

Was Jacob, heno pennill
A nyddaf, y pertaf pill,
It am gyfrol 'rhen Iolo,
Ei glasur eiriadur o.

Dyheais, edrychais dro,
A dihoenais amdano,
Holi a oedd un ail law
I ewythrod ac athraw,
Yn y Derw Stores es drwy'r stoc
A chrafu a chreu hafoc,
Holi Griffs a phlagio'r rhain
Yn eu llawnder yn Llundain,
Yna dois i Landysul,
A bwrw wnes i brynhawn Sul
I Gwm Tydu'n sydyn siŵr
O'i wyntio dan y pentwr.
Fe dalwn i'n fodlon hur
Llo ifanc am y llyfyr,
Ond rhywfodd ni yrrodd neb
O'r hol lot ffafriol ateb.

Holi o hyd a'i gael wedyn
Oedd fy lwc, yn rhodd fel hyn.
Hen yw ond mae fel newydd
Ei raen, heb ddalen yn rhydd.
Yn dy wychder gwnest echdoe
Gymwynas â barddas, boe.

Ehedydd clodydd didaw
Stwff Jacob drwy Ewrob draw,
Addawaf iti'n ddiwael
Na weli fisgedi gwael
Y Co-op yn y cwpwrdd –
Mae'r Marie mwy ar 'y mwrdd.

72

Am dy raslon haelioni
Yn gaffer doder dydi
Ar ei filoedd trafaelwyr,
Coder a dybler dy hur.
Dyledus am Odladur
Ydwyf tra bwyf, gyfaill pur.

I Gyfarch Alun

(ar ôl iddo ennill Gwobr yr Academi Gymreig 1965)

Alun Cilie'n y Coleg – a welwn
   Yma'n hawlio'i anrheg.
  Ymysg gwŷr dysg y mae'n deg
  I'r gwladwr gael ei adeg.

Coed mawr yr Academi – a ostwng
   Y glust at ei gerddi,
  Pawb o'r bron yn seboni,
  A da waith ddyweda i.

Nid syndod yw i Saunders – lwyr ddwli
   Ar ddiliau ei gwafers,
  I feirdd a ddaw mae yma wers,
  Safonol gwrs o faners.

Crefft ei bersain gywreinwaith, – ynganiad
   Ei gynghanedd berffaith
  Yw gwin a rhin yr heniaith,
  Da'i gweld yn ei dillad gwaith.

Rhag i'w hwyl hi fynd ar goll, – a harddwch
   Y gerdd i ddifancoll,
  A'th wledig awen ddigoll,
  Tydi'n wir yw'n tad ni oll.

Yr Hen Fôr

Yn y dechreuad chwaraeai ewyn
Hyd gyrrau llidiog ei erwau llwydwyn,
Dygyfor ar alwad gwefr ei eilun,
Ar ei dieithr hyd a threio wedyn,
Dyma grud magu'r hedyn! – yn ei swae
Bu naddwr y bae yn noddi'r bywyn.

O'u dirgel uniad, a'i oriog Lwna
O bell yn ei gymell hwnt ac yma,
Y golchwyd rhagfur o gylch ei drigfa
A'i fannau'n derfyn i wadu'i herfa,
Dŵr mebyd yr amoeba, – a dyrys
Nofio anturus ei dyfiant ara.

Yn nhŷ'r briodas bu'n fawr y bridio,
A mynd aeonau fel munud yno,
Doi amledd had â miloedd i heidio
Y ddaear newydd, a'r rheini'n ieuo,
Hil eu hil yn epilio'n ganghennau,
A'r rheini'n gangau, a'u brigau'n brigo.

A phery'i lif yn dragwyddol ifanc
I ganlyn ei eilun â chalon hoywlanc,
Mae hen ddiwydrwydd ei rythmau'n ddidranc
A'i grefu'n gryf yn nyheu ei grafanc,
Yr hen fôr yn ei fawrwanc, – tra bo'r gwres
Yn lwynau'i dduwies o'i le ni ddianc.

Eithin

Ar dir sur ei drysorau – yw sofrins
Afrad eu myrdd blodau,
A'r neb fo'n ei drin a'i hau
Am ei waith gaiff 'run moethau.

74

Marwnad y Pwdl

Hallt yw'r rudd cans cyfaill triw
A roddais mewn gro heddiw.
Y diail bet o bwdl bach,
Olynydd uchel linach.
Hoffus, heini, ffasiynol
A brawd i gŵn bro De Gaulle.

Swel a del ryfeddod oedd,
A doli'r holl ardaloedd,
A'i gwt trim a'i got a raens
A'i arrau fel dau oraens.
Noeth ei fol a'i benolws,
Blaen ei drwyn fel bwlyn drws,
Siwt dew ddu a siwtiai'i ddull,
Criw nec a chap cornicyll.

Nid âi ef i moyn dafad
Ar lef un *trainer* drwy'r wlad.
Rhy fore ei arferion
I wisgo iau'r addysg hon.
Uchelwr o gi, uwchlaw'r gwaith,
A'i fara'n ddilafurwaith.

Ond erioed difalchder hwn,
O eist lle'r oedd hi'n gwestiwn.
Chwery mewn gwledig drigias
Ei epil ef, ac mewn plas.
Prawf eu cwrls a'u siwrls eu hach,
A'u lliw hynod eu llinach.

Apartheid – nis syportiai,
Du neu wyn yn ffrind a wnâi,
Tystiai lot o eist y wlad
I'w elenaidd ymlyniad.

Hyd dri phlwy ni ddaw mwyach
Eu Romeo fyth o'i rŵm fach.
Lan i'r hewl yn yr heulwen
Âi un dydd i'r oed â'i Wen,

A honno ar ei hunion
Redai lawr ar hyd y lôn
O weld ei duth la-di-da,
Ei nwyfus Gasanofa,
Ef, a'i nwyd yn difa'i nerth,
Yn y gêm, hoe a gymerth.
Eisteddodd, a'r bws deuddeg
Aeth drosto a'i stecso'n deg
Nes oedd â mat gyn fflated
Yn y lôn yn slecht ar led.
Hithau'r ast, llam syth a rodd,
Fel taer fwled trafaeliodd
Ymaith, gan seinio'r gamwt
A chau rhwng ei choesau'i chwt.

Â'i rawbal daeth gŵr heibio
Â'i hen frws câns coesfraisg o,
Ac aeth â chrafion y ci'n
Ei lywanen 'nôl inni.

Heno mae yn huno mas,
Uwch ei ben, rhych o banas.
A daw pigfalch fwyalchen
Â'i nodau braf i lwyd bren,
I greu hwiangerdd erddo
A chân serch i'w annerch o,
Ac mi dybiaf yn afiaith
Gloyw y dôn im glywed iaith
Un o'i haid o gariadon
Yn ubain lawr ar ben lôn.

Y Llo

Mari aeth â llaeth i'r llo
Un dydd, a'i frecwast iddo.
A thwpach llo bach ni bu
Na hwn, rwy'n siŵr o hynny.
'Yfa' i ddim,' brefodd o,
A llonydd syllu yno
Yn saff ym mhen pella'r sied,
A sbecian dros y bwced,
A mentro'i dreio â'i drwyn
Yn union fel 'tai'n wenwyn,
Snwffio'n nes yna ffoi'n ôl
Ac weithiau bloedd fygythiol.

Tymer wyllt i Mari oedd,
Lodes ffroenuchel ydoedd.
'Y penbwl, gad dy ddwli
Y munud hwn,' mynte hi,
'Neu gwd bei gei di, boio.'
Ond nid aeth llaeth mewn i'r llo.
Rownd a rownd fe redai ras
Y sgamp, a chwrsio o gwmpas,
Gan sgathru'r gwellt mewn melltith,
A chwap gwelodd Mari'r chwith.

Allan o'i cho' yn hollol,
Codi wnaeth y bwced 'nôl
O enau'r coch hanner call,
A'i roi i lawr i lo arall.

Ateb i'r Cywydd i 'Bencerdd Holl Fwyalchod Cymru'

Fardd Glyn Ebwy, o'th fwyalch
Rwy'n gwybod dy fod di'n falch,
Da gwn mor browd o'i ganu
Wyt o'i dôn yn ffrynt dy dŷ,
A gwn y cei o'i gainc o
Hwyr solas ei bêr solo.
Dau Gymreig, dau gymar ych,
Di-wad benceirddiaid ydych.

Ond p'odd y myn d'eilun di'r
Medal aur am delori,
A'i godi'n deyrn y goedwig
Ar bob mwyalch balch ei big.
Jocan roedd T. G. Walker,
Stwffio'i wellt, gorchestu ffêr.

Mae un yng nghoed Cwmhowni,
Yma yn nwfn ein cwm ni
Ers llawer dydd, sydd rwy'n siŵr
Ag yntau'n gytras cantwr.
Aderyn Du o'r hen deip,
Digardod artist gwirdeip.

Na ddaeth rhad bennau sgadan
Na briwsion bras neb i'w ran,
Na chornfflec o fwrdd brecwast
Na llond ei big o gig wast.
Heria rew yr hir aeaf
A chreu awdl bertach i'r haf,
Mewn oer storm ni ŵyr sidêt
Nawdd prifardd a'i glawdd prifet.
Crafu'i damaid ysbeidiol,
Oni fo'n haf yn ei hôl,
Ac ni fydd i'w gelfydd gân
O wae atgo'n ei gytgan.

Tŵr hydfawr trigain troedfedd
O braff onn sy iddo'n sedd.
Ag yntau'n llwyd olau'r dydd,
Deffry ust y fforestydd.

Y silwét tlws ei lais,
Afradlon ei hyfrydlais,
Cain ei sgôr, denor y dail,
A'i sol-ffa o'i silff wiail.

Ni wnaed record o'i gordiau
I wŷr o fri ei fawrhau,
Mae ei lwyfan rhag anap
Yn rhy dal i'w gael ar dâp,
Digon hwn yw byw bywyd
Gan daenu'i gân, dyna i gyd.

Heblaw hwsmon y bronnydd
Yn galw'i stoc ar glais y dydd,
Alawon hwn nis clyw neb,
Na'i fwyn whit pan fo'n ateb
Arianllais brawd o'r unlliw
Draw'n y coed o Droed-y-rhiw.
Sŵn y dorf sy'n ei darfu,
Ond rwy'n ffrind i'r Deryn Du.

Os yw'n swil fe roi Gigli
Gwrs dwym i'th Garuso di.

Gitâr

Hon yw sŵn holl bresennol – eilunod
    Ein diclein cerddorol;
  Na ddôi yn awr iddi'n ôl
  Oes aur ei thwrf clasurol.

I Bibell

Halwyd o bell bibell bardd
I Dydfor gan alltudfardd,
Ac o bob cnotiog bibell
A hoffais, ni welais well.

Rownd asgwrn wedi'i wisgo
Yn goeth o'i gylch â gwaith go'
A cham ei choes dri chymal
A dwy dorch yn sownd i'w dal.

Helaeth a chain ei bowlen,
O'r prydferthaf, prinnaf pren;
Arni glawr o arian gloyw
A chwrlyn o fach aurloyw,
Ac wrth y caead cadwyn
A gwedde hardd rhag ei ddwyn.
Arni fel ysgwydd cyrnel
O bobtu'i phen seren swel,
A sglein ei thrimins glanwaith
Yn fwy drud nag a fedr iaith.

Heb ei bath, brenhinbib yw,
Yn dwyn nod awen ydyw,
A ddwg ysbrydiaeth ddi-au
I grefft gŵr ffitio geiriau.

Yn ei mwg daw dychmygion
I wisgo iaith pan lysg hon
Yn ei phomp, a phwffia'i phig
Anadliadau'n odledig.

Pwy a saif rhag dawn Ap Siôr,
Ddiymwad brifardd hiwmor?

Na foed trai na gaeaf trwch
Ar afon ei ddigrifwch
Na'i awen yn dragyfyth,
Na'i Aga o bib yn wag byth.

Cwpledi

A hi yn deg, gwna di wair,
A hi'n salw, gwna silwair.

Dealled ef a dwyllo,
Na wrandewir ei wir o.

Y Gymraeg i mi yw'r iaith,
Ond gwn ei gwadu ganwaith.

Yn y siop ar bris popeth
Weithian, mae'i draean yn dreth.

Dywed ei wallt ei oed o
Na fyn addef heneiddio.

Barrug oer dri bore gwyn,
Diogel ydyw, glaw wedyn.

Yn niwedd haf da i ddyn
Redeg rhaw hyd wag rewyn.

Yr ych a dry trwy'r gwrych drain,
Y lloi eraill a arwain.

Os yw'n llegach yr Achos,
Hyd yn hyn nid yw yn nos.

Ŷd a rhwysg ydyw'r ysgawn,
Y lleia'i hyd yw'r pen llawn.

Nyth

Os yn isel y'i gweli – yna'n wir
Fe gawn haf bicini,
A'r unwedd rhoddir inni
Haf 'barél os uchel hi.

Englynion ar Ddiarhebion

Heb ei fai, heb ei eni
Ym mhob dyn mab daioni – y mae nam;
    Mynnu aur neu feddwi.
    Gŵr di-fai mi gredaf i
    Nad yw hwn wedi'i eni.

Y dywysen dalaf sy'n dal y gwynt
Tywys haidd, mantais iddynt – ydyw bod
    O dw byr mewn corwynt.
    Y tala'i choes mewn croeswynt
    Sydd yn dala gwaetha'r gwynt.

Tîn trowser teiliwr sy mas
Edrych ar deiliwr medrus – a'i nodwydd
    A'i wniadur crefftus,
    Ef erioed sy leia'i frys
    I drwsio tîn ei drowsus.

Yr hen a ŵyr a'r ieuanc a dybia
Tyb ei daid, da wybod yw – a fedwyd
    O'i brofiadau amlryw,
    A'i ŵyr balch sy'n dechrau byw,
    Ei wybodaeth tyb ydyw.

Gwyn y gwêl y frân ei chyw
Fandal di-ots y crotsach, – a'i hirwallt
    I'w war yn fwng afiach,
    Ond angel del i'w dolach
    I'w deulu byth yw'r diawl bach.

Fe gwsg galar, ni chwsg gofal
Llygad sy'n gwylad gwaeledd – ni huna
    Wrth weini ymgeledd,
    Eithr hiraeth a ŵyr orwedd
    O bwl i bwl 'rôl cau'r bedd.

Isfoel

Mae'r deryn mawr draw o'n mysg
Wedi darfod ei derfysg –
Yr Isfoel anhygoel hwn,
Ddihefelydd o filiwn.
Ym mhridd y Wig mae oer ddôr
Ar ddrama bardd yr hiwmor.

Cynganeddu fu ei faeth,
Heneiddiodd ar lenyddiaeth.
Blin oedd o'i bla'n ei ddau blyg
Ond chwimwth y dychymyg.
Mwy rhyfedd na'i ryfeddod
Yw iddo beidio â bod.

Eon ei bill, *doyen* beirdd,
Eco o henfyd y cynfeirdd,
Oedd wyrth a'n cydiodd wrthynt,
O ystum ap Gwilym gynt.
Iechyd i lên ei genedl,
Fyth yn ei chof aeth yn chwedl.

Na fydded meddal alar
Llaesu gwep uwch y gell sgwâr
Hon rhag ofn, ar ei gefnu
I'w ddi-ddychwel dawel dŷ,
Yn ôl nad anfon a wna
Ei daranfyllt o'r Wynfa.

Ni feirddion wrth gofio'n gwell
Yn ei hirgul ddaeargell,
Boed gochel rhag pob celwydd
A benthyca trawiad rhwydd,
Rhag ofn fod carc y barcud
'O'r seld yn ein gweld i gyd',
Rhag dyrnod ei barod bin,
Ei lach wyrthiol a'i chwerthin.

Telstar

Cyn dyfod i'r gofod gŵn
I'w deithio slawer dwthwn
O rwn byd, na lloeren bell
A'i whit i'w horbit hirbell,
Cyn i'r Ianci dlodi'i wlad
Yn y ras fawr â'r Rwsiad,
A chyn i'w chyfrinach hi
Y lloer ddel eu llwyr ddwli,
Roedd copaon gleision gwlad
Yn rheng dal rhwng eu dwywlad,
Llen rhag signal, wal oedd hi,
Rhwystyr i lun fynd drosti.

Ond o'r ymryson y daeth
I'r byd ystôr wybodaeth
A luchiodd ar lyw uchel
O dir ein byd arian bêl
I droi a throi'n ei thrywydd
Yn deg ryfeddod ei dydd,
Da gnwd y gynnen ydoedd,
O lys y drin Telstar oedd.

Rhwng ffiniau stafell bellach
Hi gronna fyd mewn sgrîn fach,
Does gennym drum didramwy
Na mur o fynyddoedd mwy
A omedd i ni heddiw
Glywed y llais na gweld lliw,
Mae pob gwlad yn weladwy
A maint pob cyfandir mwy
O Bordeaux i Aberdâr,
O ddod hwylustod Telstar.

O'i mynd i'w diderfyn daith
I ddidor rowndio'r undaith,
Mae enwogion mwy'n agos
Yn y gegin wedi nos,
Campwyr gwlad ar nawn Sadwrn,
Gwleidyddion a dewrion dwrn,

A chawr y bêl a'r chwarae
Yma i'w weld fel y mae,
Eilunod uchel unwaith
I'w gweld o bell ambell waith,
I'r cyhoedd duwiau oeddynt,
O'u dwyn yn nes dynion ŷnt.

Yng ngloyw ddrych y wyrth uchel
Ar wib daer, y byd a wêl
Anwariad Tsieina ddiras
A'r Kremlin, a'u gwerin gas
Yn ofnau i gyd yn nhrefn gaeth
Hynt a helynt dynoliaeth,
Yn chwerthin megis ninnau,
Yn ias eu dawns, a thristáu.

Gwyn fyd a ddarganfu hon
Yn hyder ei freuddwydion,
Mae'n gwastotu'r rhagfur rhom
A llunio deall ynom.
Adnabod yw cymodi,
Ni phryn ofn cledd ein hedd ni.

Y Newyddian ar Gyngor Plwy

'Nôl ei seiens a'i bensil – ysgydwai'r
    Holl sgwad wrth eu gwegil,
I'w lanhau o'i feiau fil,
Brwsh câns ar barish cownsil.

Y Caban

(Trowyd caban Aelwyd yr Urdd yn ganolfan cyrsiau pan roddodd
yr arweinyddion i fyny eu gwaith.)

'I bob dim mae ei dymor',
I gaban a chân a chôr,
Mae ei brifiant a'i anterth
A'i brynhawn i bob rhyw nerth.
I'w ran mae awr yr un modd
Pan fo lês ei wres drosodd,
A'n holl ddyheu ni all ddwyn
Ei thro eilwaith i'r olwyn.

Ond o hyd mae atgo'n dal
I gynnal hen ogoniant.

A hawdd heddiw yw iddynt
Gofio caban y gân gynt,
Ar nos Wener yn seinio
I gyd nes oedd dyn o'i go',
O un cornel sŵn telyn –
Yn y llall roedd ambell un
Yn bwrw darts, a'u berw dwl
Yn sgubo dros y cwbwl,
Y bois yn hanner seriws
Yn Rowndio'r Horn draw'n y drws,
Tra yr oedd pentwr o'r rest
Yn solffana ar silff ffenest.
Ond pan fâi'r Parch. yn barchus
Yn dodi'i fawd a dau fys
Yn ysgawn yn ei wasgod,
Fel ar fel yr oedd hi i fod.
De Gaulle ein diogelwch,
Ar y cwrs yn cadw'r cwch.

Mae'r hen gaban yn lanach
Heno, bois, o dipyn bach.
Hyd y llawr does dim blawd llif
Anhyfryd, na dim cyfrif
O'r darts ar ei bared o,
Na staen yr artist yno.

Vinolay'n dodrefnu'i lawr,
Toilet a *bunk bed* deulawr,
Ac yno'n deils gwyn a du
Sink unit, nid sŵn canu –
Bedrwm, ond neb i adrodd
Na threio mwy, gwaetha'r modd.

Clwb Ffermwyr Ieuanc

Gwledig glwb ysgoldy clyd, – i'r ifanc
Rhag arafwch bywyd,
Llwyfan i gymell hefyd
Arddwr bach i gwrdd â'r byd.

I Syr Cynan ac Emrys Roberts
(mewn ateb i lythyr yn gofyn i mi ddod i Aberafan)

Dof, mi ddof brynhawn Dydd Iau, – yw f'ateb
Gellwch fetio'ch crysau,
Ac mae'r geg yma ar gau'n
Oesoesol os oes eisiau.

Ar Gerdyn Nadolig (i'r Capten)

Boed i'r *sea dog* heulog hin, – a llanwed
Llawenydd ei gabin,
Caffed wledd ac amledd gwin,
God speed, mi gedwais bwdin.

Cywydd y Cyhoeddi, Rhydaman 1969

Aeth heibio rwysg a thabwrdd
Y sioe a'r ffws fawr i ffwrdd,
A Gwalia benbwygilydd
Dipyn bach yn sobrach sydd
Yn styried y waled wag
A'r bil i weithwyr bolwag.

Yn wyneb haul i gynnull
Ni a ddown yn ein hen ddull
I urddo bardd heb ei well,
Cystal â Phrins y castell.
Tywysog crefft, sgweier iaith,
Aer i thrôn nerth yr heniaith,
Brenin y Glowr, barwn gwlad.
Gwyn d'wysog o'n dewisiad.

Ble mae'r criw fu'n hau'n ddiwyd
Y propaganda i gyd?
Ble mae Siors a'r *Armed Forces*,
Y tyrrau plant a'r polîs,
A'r bechgyn wnaeth yn union
Y prif ffyrdd a thapio'r ffôn?
A'r rhai oedd uwch pob rheol,
MI5 a'u ffilmiau ffôl,
Mae Carlo, ble mae corlan
Seciwriti'r meiri mân?
Ymhobman weithian fe aeth
Yn brynhawn eu brenhiniaeth.

Daeth i ni un fendith 'nôl
Oddi yno'n haeddiannol,
Ac i'n pau yn fachgen pert
O'r helbul cawd Syr Albert.
Mae'n Barch., D.Litt. a Marchog,
A mwy na llond y Maen Llog,
Siŵr o'i gamp, pensaer ei gwedd
A rihyrsiwr yr Orsedd.

Fel un, flwyddyn i heddiw,
I gae'r Ŵyl dowch 'nôl yn griw,
A gwn y bydd tywydd teg
Hefyd ar hyd yr adeg.
Yn ein gŵyl cewch eich gwala
O groeso hael a gwres ha',
Does dim sham yn Rhydaman
Na niwl o'r môr na glaw mân,
Dewch 'nôl i'ch ysbrydoli,
A dewch â hwyl gyda chi.

Y Pasg

Mae'n galed gen i goelio,
Heb straenio ystyr ffydd,
Holl hanes y croeshoelio
Ddigwyddodd slawer dydd,
Gan amled yw amheuon dysg
Yr holl chwilotwyr sy'n ein mysg.

Er 'mod i'n medru canu
Am loes a marwol glwy,
Mae'n anodd im wahanu
Y goel a'r gredo mwy,
Ac nid oes neb a all yn blaen
Egluro'r myth am dreiglo'r maen.

Ond gwn, er gweld llofruddio
O'r hafau yn eu tro,
A'r eira'n eu gorchuddio
A'r rhew'n eu rhoi dan glo,
Y bydd y blodau yn eu nerth
Ar Sul y Pasg dros Hewl y Berth.

Yr Ymchwil

Wynebaf fae fy mebyd,
Edrych draw uwch y dŵr hud
O iet y clos, hwyrnos haf,
At draeth y pentir eithaf.

Myfyr y cof am fur cau
Cyfrinach 'C' o fryniau,
A hen goel fy nhadau gynt
Am y gaer a chwim gerrynt
Y llif a'i gerth ryferthwy,
A gwlad moeth nas gwelwyd mwy.

'O dan y môr a'i donnau' – yn gyson
  Fe ddôi gwŷs y clychau,
  A chryndod y pêr nodau
  O stôr hud yr hen storïau.

Dinas goll y dawnsio gynt – a daenodd
  Ei dewiniaeth drostynt,
  A'i thaerni'n ddi-feth arnynt
  Yn galw'n gêl yn y gwynt.

Hen newynu'n nwfn enaid, – hen awydd
  Yn crynhoi'n y llygaid,
  Draw'n y dŵr nodau euraid
  Hen boen chwilfrydedd di-baid.

Am weled y fro ddedwydd
A'r tiriondeg gantre cudd,
Ei ddiymffrost deios del
A'i wychion blasau uchel.

Dyheu am braf ystafell
Neithior bur ei neithiwr bell,
A beirdd glân uwch byrddau gwledd,
A'i ddigynnen ddigonedd.

    *   *   *

Uwch y bae ag erch bŵer – cwyd roced
    A rhicio'r uchelder,
    Barugo'i llwybyr ager
    A'r sŵn yn diferu sêr.

Y byd yn diasbedain; – i forthwyl
    Ei rhyferthwy'n atsain,
    Ergyd fraw y gawod frain
    Heigia foel Craig y Filain.

Chwyrnu didor ei chryndodau – yn gwag
    Ego rhwng y creigiau,
    Rhwygo yn hir a gwanhau
    Yn niwl y pell gymylau.

Hwter y Gwaith, a'r tŵr gwyn – i'w weled
    Draw yn golofn ewyn,
    A chwyd y fwyalch wedyn
    O'i guriad saib, ei gord syn.

Bydd llawen ddathlu heno – a gwinoedd
    Gweniaith yn dylifo;
    Bydd yr 'Hedydd' yn cludo
    Arfau'r drin ar fyr o dro.

Tu hwnt i restr y ffenestri – anniffodd
    Mae'r sgaffald yn codi
    Ar oleddf lleddf at y lli
    A stôr dinistr odani.

Dinas gwybodau anwel, – tai geni
    Ein teganau rhyfel,
    Eilia'r môr ein gwyddor gêl –
    A fo ddig a fydd ddiogel.

Yfory arbrawf arall – yn nolen
    Yr ymchwilio diball.
    Dyn o'i newyn anniwall
    O un llwydd yn mynnu'r llall.

Hyderus hollti dwyran – yr atom
    Am yr ateb cyfan,
  A mynnu mwy yn y man –
  Rhannu'r hanner ei hunan!

Mae Gwybod am wybod mwy,
Dyna'r nod annirnadwy.

           *   *   *

Mae mwg yr ymchwil yn araf gilio,
Mae'i linynnau â'r cymylau'n uno,
Gwylan o rywle'n troi gan fentro
Heibio i'w chwat ar Ben Cribach eto
Ar adain fraith, a syfrdan fro'r ergyd
Yn cymryd ennyd i ailddihuno.

Yn neon seintwar y Ddinas Wyntog
O ystadegau mae'r gwifrau'n gwafriog,
Y radar yn noe o arian troeog
Yn cylchu'n ddiwyd a'r clychau'n ddiog,
A gwŷr mewn teios caerog – yn mochel
Yn stiwdio rhyfel i studio'r hafog.

O wyntyllu'u gwybod deillia gobaith,
Allwedd eu cwymp ydyw llwydd eu campwaith,
Arbrofi, holi a thanio'r eilwaith
O gedyrn greigiau daran goreugwaith,
Ymdrechu a gwychu'u gwaith, – yn ddidor
Nesâ y borffor alanas berffaith.

Daw bri'i chodi a brawychu wedyn
Rhag gweld y trysor yn nwylo'r gelyn,
Esgor o'u hymchwil ar fodd i'w dilyn
A welai ym Mosco helm ei hesgyn,
Chwilio rhag grym ei cholyn – ymwared,
Roced i'w harbed pes troid i'w herbyn.

A fo gyhyrog ni oddef gerydd,
A'r neb fo eiddil a wŷr gywilydd,
Gorau'i arfau a orfydd – mewn helbul,
A ofno gweryl boed ddwfn ei geyrydd.

           *   *   *

Mae'r confoi ar droi i dref,
Diwydrwydd yn mynd adref,
O'r Pennar llu'n ymarllwys
I seddau'r bysiau ar bwys.
Gweithwyr esmwyth yr wyth awr
Sy deilwng o fws deulawr.

Had o frid y fro ydynt,
Bywiog wŷr a wybu gynt
Droi adre'n fwy hamddenol,
Yn falch o'u dydd o fwlch dôl,
A gweld haul yn ffaglu tân
Ar ben tir o bwynt arian.

Cyn troi'r Pennar yn farics
A'i dir braf yn dyrrau brics,
A chau llyn dan ymchwil llid,
Creulon gancr y lôn goncrid,
Cyn i swydd a'i phecyn siŵr
I'w dôr glyd hudo'r gwladwr.

At dwt ohonynt eto
Y daw rhai o hyd ar dro,
Wedi te i godi tas
Â'i lwyd law y daw Leias,
Neu loywi'i ddawn dan glawdd hedd
Ar filwg ei orfoledd,
A dwstio'r rhwd o storiâu
Egni'r gwyn ar-ugeiniau.

Draw'n dod estroniaid ydynt,
Doniau strae y dinistr ŷnt.
Athrylith wŷr ei thalent,
A gwarchodlu drud ei rent.

Gwylwyr ein diogelwch
Rhag y fflam, a'r perig fflwch
A gelai bob dirgelwch.

Oes a omedd eu meddwi
Ar gwrw'u llwydd, rhag i'r lli
Fylchu caer falch y cewri?

Pendefigion digllonedd – a glwydant
    Lle'r oedd gwladwyr bonedd,
Parc Craig Hir a'r Banc irwedd
Weithian Mawrth ei hun a'u medd.

*   *   *

A yrro hyd dant arian – bwa'r bae
    Ar wib awr o'm trigfan
    Draw a wêl o'i isel lan
    Gaeau gwyrdd Plas Gogerddan.

A gweled tir yn gwilt teg,
Cymhendod caeau mwyndeg,
Ydau yn lleiniau llawnion
O fridau fry hyd y fron,
A matras geometric
Ir o dwyn at droed y wig.
Fflandrys y diloes groesau,
Tyrfa lawn y tirf welâu.

Gerddi sgwâr o ddewis geirch,
Haidd byr a blagur blewgeirch,
Lleiniau gwair a meillion gwyn
Dros stad wastad yn estyn,
A graddau y gwyrddiau i gyd,
Gwridog aur hyd ei gweryd.

Porfa o ryw pur ei frid
A'i dras yn irlas gwrlid,
Gwenithau gwyn a theg wellt
A grawn rhwng rhyg a rhonwellt.

Dyma uniad amynedd – a gwybod
    Gobaith a thrylwyredd,
    Chwilio'n ddiball yr allwedd
    I roi i ddôl iraidd wedd.

Paru ŷd mewn priodas
A chwilio trech hil o'u tras
I ennill dau ohonynt
Lle tyfai un gwelltyn gynt.

Uno da a chael deuwell,
Uno'r gwych a chael rhai gwell.

Gwenyna'r paill o'r meillion
O ddewis bâr newydd sbon,
A rhoi rhagoriaeth dau frid
Arobryn yn yr hybrid,
Cyn profi, rywbryd hiroes
Glofer gwell heb 'Glafr y Goes',
Ac irdwf drasau gwirdeip
A fwriant dwf o'r un teip,
Nas difetha gaea gwyn
Na'r sychaf haf na gwyfyn.

*   *   *

Lle bu'r ffesant yn planta, – a miri'r
    Gwŷr mawr yn ei hela,
  'E giliodd y mwg ola
  A'u holl rwysg ers llawer ha'.

Mae'r werin lle bu llinach – y Prysiaid,
    Yn eu preswyl mwyach,
  Taeog arddel uchel ach
  A ballodd yno bellach.

O gornel Allt Ddel i Blaen-ddôl, – o ffin
    Cae Ffordd i Gae Canol
  Grawn y grynnau gwerinol
  Sydd eto'n eu hawlio'n ôl.

I Gae Plas a Chae Rasus – a wybu
    Fân gleber y moethus,
  Y daw heddiw'n haid weddus
  Wynion forynion di-frys.

Lle clywid canmol sidan, – a moli
    Milwr a llymeitan
  Uwch byrddau gwych, bardd a gân
  O'i ddawn i'w foddio'i hunan.

Yn orielau'r marwolion – lle gwydrwyd
        Llygadrwth farchogion,
    Glewion swil yr ymchwil hon
    Mwy biau muriau'r mawrion.

Hyd lawntiau nobl y peunod – a dyrys
        Goridorau'r maldod,
    Glewion dysg i holi'n dod
    Yn foddus o ryfeddod.

Dan ehangder y dderwen – trafodant
        Dw'r fedel anorffen,
    Ac islaw brig oesol bren
    'Rhen grefft a thrin y grofften.

                    *   *   *

Yn eira ŵyn bach os cryn y buchod
Ac arlwy maes yng nghwsg hirlwm isod,
Mae Parc yr Afar yn glasu'n barod
A'i feillion yno'n tynnu'r sguthanod,
Ar waetha Mawrth mwy a'i ôd – mas cyn hir
I'w rynnau ir fe gaf droi'r aneirod.

Pan ddêl Mehefin a'i haul a'i riniau
A'i sawrus fernos a'i resi o fyrnau,
Bydd porfa'r Fridfa draw 'Mharc Hadau
Yn gant i'r erw a'r gwynt ar ei orau,
Llond cyllell o dafellau – fel y môr,
Yn rhesi didor o ir ystodau.

Ynddynt mae gobaith y breuddwyd eithaf
Am dras o borfa nas gwywa gaeaf
A bery'n las drwy'r dwyreinwynt casaf
Yn adeg newyn rhwng dau gynhaeaf.
Islaw'r ôd seleri haf – a stôr gwin
I'n tew fuchesi'n eu twf iachusaf.

Daw'r ha a 'Manod' hyd war y mynydd
I donni a hodi dan win gawodydd,
A 'Maldwyn' nid brwyn ar hyd y bronnydd
A'i aur stacanau ar Awst y cynnydd.

Hadau'r 'S' hyd y rhosydd – yn talu,
Gan suoganu yn nhes y gweunydd.

Lle tyfodd Sbrig y mae tras mwy brigog
Ar hytir weithian o'r brid toreithiog,
Rhoes Ceirch Du Bach, y corrach cyhyrog
Ei le i'w well o'r un llinell enwog,
Lle bu'r Hen Gymro'n donnog, – tyf yn syth
Ei drymach fyth o'i wehelyth goliog.

Yn nyfal ymchwilio'r ffydd anorffen
A gwers y gwenith ar gors y gawnen
Mae hyder newydd am ddedwydd Eden
I luoedd yr ing rhag blaidd yr angen,
Newydd frid i ddifa'r hen gynddaredd.
A'r annigonedd sy'n ddraen y gynnen.

*   *   *

Yn Aber-porth lle bu'r pysg
Mae tyrrau arfau terfysg.
Mae erwau o leiniau glân
A harddwch yng Ngogerddan.

O'r Pennar saethau arswyd
A fwria'u llun ar fôr llwyd,
Ond irder hyder a wân
Resi gerddi Gogerddan.

Mae deifiol rym y difod
O dŵr y gwersyll yn dod,
Mae egni mwy egin mân
Ac irddail yng Ngogerddan.

Storom Awst

Fynychaf pan fo'r ŷd yn tonni'n bendrwm
Ac o fewn dim yn barod i'r ystôr,
Fe petai'r haf a'r gaea'n tynnu codwm,
Mae sydyn storm o wynt yn dod o'r môr.
Yn nyddiau pell yr ysgub chwalai deisi
A staciau cymen y caledwaith hwyr,
A gwelsom ninnau'n oes y dyrnwr medi
Ddihidlo ohoni'r barlys bron yn llwyr.

Effaith y teidiau mawr, ebe'r rhai sy'n deall,
Neu'r lleuad newydd yn dwyn gwynt a dŵr.
Terfyn y dyddiau cŵn, medd eto arall
Yw'r achos, ond does neb yn berffaith siŵr,
Ac er pob hafog a'i cholledion fil
Mae gwanwyn Awst yn dyfod yn ei sgîl.

Gwanwyn

O anfon, Glamai, dy fwyn golomen
Goruwch y dilyw i gyrchu deilen,
Tyrd dithau'r wennol yn ôl â'r heulwen
I laesu aerwy gaeafol Seren,
Tafola dy ffliwt felen – negro'r gerdd,
A tharo gyngerdd ar eitha'r gangen.

Tyrd, awel Erin, i'r tir dolurus
I adfer hyder i fro ddifrodus,
Croesed y sianel dy gawod felys
A etyl ofid y gwynt dolefus,
Yn ei suo croesawus – tawdd yr iâ,
Ac ymlid eira'r cymylau dyrys.

Pan ddaw eirlaw yr hirlwm
Ar sguboriau'r lloriau llwm,
Mor hir yw'r tymor eira,
Mor hwyr yn dyfod mae'r ha'.

Dur cas bwledi'r cesair
Yn curo ar do'r sied wair,
A'i byrnau hi'n dwys brinhau
O weld gwaelod y golau.

Haflo yn chwilio'n ddiflas
O glawdd i glawdd flewyn glas,
A disgwyl, disgwyl bob dydd
Yn adwyau ei dywydd.

Su druenus dwyreinwynt
A strem ddidostur ei wynt
Yn deifio'r tir, difa'r twf,
Drwy'i fileinder, a'i flaendwf.

Gwynt claddu yn chwythu'n chwyrn
Drwy y wisg hyd yr esgyrn,
A phob hyder yn fferru
Yn serio dwys ei rew du.

Ond y mae newid ym min ei awel
A lleuad arall ar y llwyd orwel,
Fe gwyd y bustych eu pennau'n uchel
A phrancio o ffroeni y cyffro anwel,
Mae llais rhyw gymell isel – yn dangos
Y ffordd i'r rhos ac i ffwrdd o'r rhesel.

*   *   *

Gwahoddwyd degau hcddiw
Draw o draeth i Droed-y-rhiw,
I dalar gynnar y gwys –
Ysbrydion dros baradwys.

Mae gwanwyn pob gwanwyn gynt
Yn eu hwylo a'u helynt,
A diddiwedd ryfeddod
Ei fuan dwf yn eu dod,
Rhyw un neu ddwy yn troi'n ddeg,
A channoedd yn troi'n chwaneg.

Oni yrr Ffan hwynt ar ffo –
A'i bogeilwib fugeilio,
A chodant yn ffluwch wedyn
O'r llawr fel golch fore Llun.

Corws cras eu crio hyll
Yn disgyn yn fflyd esgyll
Ar loyw bridd, lle'r ail barhâ
Hir fatel eu pryfeta.

Cyn troi'n gonfoi pigynfain
Gyda'r hwyr dros frig y drain
Ar eu gwib i Ben Cribach,
Adre â'u bwyd i'w rhai bach.

*   *   *

Ym môn y clais gwelais gyrff
Ŵyn barugog eu breugyrff.
Toll lawdrwm dant y llwydrew,
Teganau trist gwynt y rhew.

Dau hyll geudwll llygadwag
I wyll nos yn syllu'n wag,
A'r hen frain fry ar y rhos
Am eu hawr yn ymaros.

Yr amddifad ddafad ddof
A'i hing heb fynd yn angof,
A'i chader yn diferu
Gan faich y sugno na fu.

Fe flingaf flew eu hangau
A gwisgo'u crwyn am ŵyn iau,
I laesu, nes daw'n lasach,
Eisiau bwyd rhyw Esau bach.

Ond y mae ŵyn hyd y maes,
Ŵyn arianfyw'n yr henfaes,
Yn bendithio'n gynffonwyllt
Y tap gwin â'u topi gwyllt.

Heini pob oen ohonynt
Yn dechrau'i gampau'n y gwynt –
Dwynaid a sbonc drydanol
Gan ffroengrych edrych o'i ôl,
A gwallt-gyrliog wyllt garlam
O follt i ymyl ei fam.

Gwn y daw mewn deunawmis
Yr oen ym mhoen ei bum mis,
I dirion goed yr hen gae
Ar ei encil i'r uncae.

A gwn y dwg un gwannaidd,
O drwyn a brid yr hen braidd,
I ddeintio'n ei ffordd yntau
Y ddaear werdd i'w hirhau.

*   *   *

Draw ar y rhos mae aradr yr oesau
Eto'n teilwrio'r hen bentalarau,
Yn gwysi dyfnion y gesyd ofnau
Y gaeaf oediog a'i fil gofidiau,
Ac i'm golwg mae golau – haul yr haf
Yn hollti araf ei glân gylltyrau.

Fe ddaw â'r gwanwyn o'r ddaear gynnes,
Hen famog feichiog y praidd a'r fuches,
Mae ei stori ym mhob cymwys deires,
A'm dyddiau innau, wyf fab ei mynwes,
O lwch ei hisel loches – mae'r sychau
Yn troi dalennau trwyadl ei hanes.

Mae'r had a heuwyd ym more daear
O hyd o dan glo'i dwy aden glaear
Yn disgwyl cennad yr haul a'r adar
I harddu â'u deilios bridd y dalar,
Dan groglithfaen y braenar – mae dolen
Ieuanc a hen y gwanwynau cynnar.

A phan fo'r isel darth i'w weled
Ar wynion gerrig y grwn agored,
Dryw loyw rigol daw'r rowl a'r oged
I daenu gwely'n y ddaear galed,
Bydd yno ddiddos nodded – i'r hedyn,
Nyth rhag ei newyn a tho rhag niwed.

Pan syllwyf drachefn yng nghwrs pythefnos
Yn falch ŵr arno o fwlch yr hwyrnos,
Bydd erwau eang yn dechrau dangos
Careiau egin rhwng y caregos
Yn hir a'm ceidw i aros, – i weled
Drwy hafnau oged yr haf yn agos.

Tra bo hen dylwyth yn medi'i ffrwythau
A chnwd ei linach yn hadu'i leiniau,
Tra delo'r adar i'r coed yn barau,
Tra poro corniog, tra pery carnau,
Bydd gwanwyn y gwanwynau – yn agor
Ystôr ei drysor ar hyd yr oesau.

*   *   *

Cerddor yn nhymor rhamant – a guddiodd
   Ym mysg eiddew'r llawrbant
Ffiolaid o blu i'w fflyd blant
Yn y gwern ger y gornant.

Yn nadeni dewinol – y gwanwyn
   A'i gynnwrf tragwyddol,
Daw bachgen y gorffennol
A hen nâd y chwilio'n ôl.

Beth yw cyflwr gŵr, a gwaith, – at flasu
   Eto flys y gobaith,
Mwy na deddfau dechrau'r daith,
A gwialenni'r sgŵl unwaith?

Gwylio'r llwyfan lle canai – yn fanwl,
   A'r fan lle disgynnai
Yn yr allt, a'r man lle'r âi,
A chwilio'r lle dychwelai.

Dringo i'w dŷ rhwng y dail, – a'i gyrru'n
   Gorwynt fry'n yr irddail,
Ofni fy ysgol wiail,
A honno'n siglo i'w sail.

   Cynhyrfiad procio nerfus
   Y bluen boeth â blaen bys.

   Y sydyn drwst yn y drain –
   A helynt y cwymp milain.

Yn annwyl mynnwn wylad – yn fore
   Fy iâr fach yn wastad,
Dau liwgar ddistaw lygad
Ei haros hir diberswâd.

A'r hwyrnos tua'r wernen – awn i weld
   Y nyth yn y golfen,
Nes cael, wrth droed y goeden,
Fasgal ŵy ar fwsogl hen.

Hir wariwn ddifyr oriau – i wylio'r
Helwyr rhwng y brigau'n
Mynd a dod, dim ond eu dau'n
Cario cig i'r côr cegau.

Y nyth yn llenwi o hyd – a welwn
Hyd y fyl o fywyd,
Glewaf oedd o gelfyddyd
Crynhoi y criw i un crud.

Ond ow'r alanas iasoer!
Ei chael yn wag a'i chlai'n oer.

*　　　*　　　*

Hyd loriau daear daw haul o'r diwedd
A bydd llawenydd 'run fath â'r llynedd,
Ei thonnog erwau dan wlith yn gorwedd
A'r eidionnau yn byw ar eu dannedd,
Fe ddaw Mai a gwella'i gwedd, – a chaethion
Y du-a-gwynion yn eu digonedd.

A daw olwynion o'r pell ydlannau
I hau'r cawodydd o stôr eu cydau,
Mae cladd y trysor yn eu gwyddorau
A golud y byd yn eu gwybodau,
Yr had a etyb reidiau'r tyrfaoedd,
A bloedd yr oesoedd rhag blaidd yr eisiau.

Fe daena'i hirder dros bob pryderon
A chladdu gloes dan ei chloddiau gleision,
Nid yw'r gaeafau'n ddim ond oer gofion
Yn nhaerni bythwyrdd yr hen obeithion,
Beth yw gofal y galon – mwy i mi,
A'r ŵyn yn heini a'r drain yn wynion?

Pan laso'r awyr beth yw llafurwaith,
Na chwysi tolciog na chwys y talcwaith?
Yn yr haul gwâr hwyl yw gwaith, – a minnau
Yn egni'i olau yn ugain eilwaith.

Mae rhyw hen bigiad ym mron y bugail
Pan welo'r famog yn llyo'r bogail,
A rhyw hen afiaith mewn troi anifail
I lawr y beiswellt o wely'r biswail
Pan fo deryn du'n y dail, – uwch y fro
Yn hwyr solffeio ar silff o wiail.

Mae rhyw gynhyrfiad nad oes mo'i wadu
O weld ebrilliad gold y briallu,
Neu glacwydd teirblwydd a'i fintai eurblu
Yn filain dalog ar flaen ei deulu,
Neu'r wennol gynta'n gwanu – drwy'r awel
Ar uchel annel a'r gog yn canu.

Ym môn yr egin mae hen rywogaeth,
Yn nhwf y gweryd mae hen fagwraeth,
I'r oen a'r ebol mae hen fabolaeth
Ac yn eu hesgyrn mae hen gynhysgaeth,
I minnau'n eu hwsmonaeth – mae'n y rhos
Ryw swyn yn aros sy'n hŷn na hiraeth.

*   *   *

Clywch y Pasg a'r clychau pêr
Yn dwyn nodau hen hyder
Hollti'r byllt o hir bellter.

Gwelwch eurlliw glych hirllaes
Merthyri Mawrth ar y maes,
Yn eilfyw o'r rhyfelfaes.

Melys gymanfa'r moliant,
Anthemau o leisiau plant
Yn eu gwyn a'u gogoniant.

Yng nghanol eu gorfoledd
A hosanna'u perseinedd
Am edfryd Bywyd o'r bedd.

Mae salm iasol i'w miwsig
Am ddeffro o gyffro gwig
Gwsg yr Had cysegredig.

*   *   *

Tra bo cyw i'r ddeuryw'n ailddeori
Ni bydd i ffydd gael ei diffoddi,
Bydd gŵr diorffwys yn torri cwysi
Ac yn y gleien bydd og yn gloywi,
Bydd gwanwyn a bydd geni'n dragywydd,
A'r glaw o'r mynydd yn treiglo'r meini.

Coeden Nadolig

Pren y plant a'r hen Santa, – a'i wanwyn
    Yng nghanol y gaea,
  Ni ry' ffrwyth nes darffo'r ha',
  Nid yw'n ir nes daw'n eira.

Cwyn Mam at y Prifathro

Ers tymor mae cwrs Tomi
Yn rhoi mawr bryder i mi.
Nid yw ef ymlaen yn dod
Yn unol â'i ddawn hynod.
Heb os, fe ddylai basio
Yn uchel yn ei Lefel O.
A thrwy'r ysgol a'r coleg
Âi petai'n cael chware teg.
Onid yw'n llawn dawn y llwyth
A'n talent ni fel tylwyth?

Cerdded yn gry'n blentyn blwydd,
Taflu'i gawiau'n grwt dwyflwydd,
Glew yn yr ysgol leiaf –
Iddi aeth ei drydydd haf –
A dod cyn bod yn bedair
Yn goeth i siarad pob gair.
Dysgu darllen, sgrifennu,
Rhifo i hwn chware fu,
Didrafferth gyda'i driffwnc,
Yn berchen pen at bob pwnc.

Nes cafodd addysg gyfun
Anelai fod fel fy hun,
Yn llydan ddiwylliedig,
Yn bwrw o hyd tua'r brig.
Ond o fynd i'r Uned fawr
Darfu'r disgleirdeb dirfawr,
A hawdd ei weld, yn ddi-wâd,
Ar fyr dro fu'r dirywiad.

O na roech ef ar wahân
I hwldwp blant y Mwldan,
Na rônt eu meddwl ar wers
Funud, y reps difaners.
Wir, pa sens mewn grwpio sydd
Da a gwael gyda'i gilydd?
Ai da beth ydyw eu bod
Yn gostwng i'r un gwastod?

Ble'r aeth y ddisgyblaeth gynt
A'r ddysg roddes gweir iddynt?
Rhaid i'r drwgweithredwr, dro
Oddef y gosb a haeddo,
Ond trefn nid oes, yr oes hon
Wrth reol yr athrawon.

Mae'n anodd gen i oddef
Ei sgrifen anniben ef,
Yn y Gymraeg mae ar ôl,
A'i ffiseg yn affwysol,
Anabl yw gyda'i dablau
I'w dweud ymhellach na dau.
Esgeulusdod sgolasdig
Yw hyn o ddawn, fe'm gwna'n ddig.

O'i chwsg mae'n bryd i'ch ysgol
Fynnu'n hen safonau'n ôl,
Chwi a'ch seicoleg bregus
A'ch B.A., tynnwch eich bys!

Cân Brychan

Pwy fynd i'r ysgol yn yr haf
A ni ar ddechrau'r tywydd braf?

Pwy wrando athro o fore hyd nos
A deryn du ym Mharc Dan Clos?

Pwy eiste lawr, â'r drws ar gau
A Dad yn disgwyl help i hau?

Pwy adael Ffan o naw hyd dri
Heb neb i chware gyda hi?

I Wahodd y Brifwyl i Aberteifi

Man gwyn yw man ein geni,
Ato'n ôl o hyd down ni,
Er pob rhyw hirfaith deithio
A bwrw oes draw o'n bro,
Mwyn i bawb gwmni'i bobol,
Dod adref sy'n nef, yn ôl.

Dewch â'r Ŵyl i weld ei chrud
Heibio i fro ei mebyd,
I'w phen-blwydd wythganmlwydd hi'n
Fintai haf i fin Teifi,
Mae bord lawn am barod wledd
Gennym a gwin ddigonedd.

Yn nhymor Awst boed mawrhau
Cenhadaeth y caniadau,
Llên a chân a llawen chwedl
Ŷnt ogoniant y genedl,
Yr Ŵyl Fawr a'r Brifwyl fwy
A wnâi haf yn wledd ddeufwy.

Daear wast mwy yw'r castell,
O'r rhwysg gynt nid erys cell,
Ond o hyd mae ffermdai hen
Y fro yn noddfa'r awen,
Y delyn ar eu dwylo,
Acenion cân yn y co'.

O'i phontydd hyd ei phentir,
O'i thraethau aur a'i thw ir,
O fryn a glyn y mae gwlad
Yn dyheu am ei dŵad,
Mae pob dôr yn agored
A phob main liain ar led.

Tra bo'n lli ar Deifi'r don
A chorwg ar ei chyrion,
Fe edrydd mynydd a môr
Eu hiraeth drwy yr oror
Eilchwyl i'r ŵyl ddychwelyd
Yma i'n bro, mae'n hen bryd.

Croeso i Fro Deifi deg
Adeg Awst wedi gosteg,
O'ch tai'n y dwyrain a'r de,
O'r gogledd ac o'r gwagle,
I Steddfod y Steddfodau –
Unwaith mewn oes, does dim dau.

Y mae hi'n wledd ym Mhenlan,
O'i gofal doed gwlad gyfan
I weld mynyddoedd Waldo'n
Hanner cylch o'i amgylch o,
A pherchen pob awen bert
Heibio i draeth y Gwbert.

Pwy ragor a gred stori
Gan neb i'n cynildeb ni,
Na'r hen dwyll fod ein bro'n dynn
A chaeëdig ei chwdyn,
I'n hardal ni mae'r geirda
Na chyfrif gost achos da.

Dewch i ddathlu, Gymry i gyd,
Lewaf foddau celfyddyd –
Dyri llais a cheinder llun,
A mwynhad cwmni wedyn,
Am fod sêl rhyw ddiogel ddôr
I'r Gymraeg yma ragor.

Dethlwch ben-blwydd ei llwyddiant
Yn nyth ei gŵyl yn wyth gant,
Yn wyneb haul goleuni,
A dewch â hwyl, gyda chi.
Llawenhewch fod llên o hyd
Yn ein mêr yn ymyrryd.

Doed pob celf wrth ei helfen
I weld y pyrth led y pen.
Yn llif di-rif, dewch i'r Ŵyl,
A choronwch yr Henwyl.
Tebyg at debyg y tynn,
A thalent at ei thelyn.

Yr Eingion

Pwy ŵyr sawl pâr o ddwylo'n trin yr harn
Fu'n taro, taro, taro'i haearn hi,
Yn golym og a swch a chadw carn
I gerdded tir ein hetifeddiaeth ni.
Pwy ŵyr sawl cân a chwedl a rhigwm sionc
A'i heco'n dal i ganu yn y cof
A fydrwyd i gyfeiliant dyfal donc
Anesboniadwy 'ergyd fach' y gof.

Er nad wyf of na'i epil, yn fy ffordd
Rwy'n bwrw ergyd arni, siwrne siawns –
Unioni pig y fforch neu hoel, a'r ordd
Fel 'tai ohoni'i hun yn dechrau'i dawns.
Hir y parhao'n sedd fy myfyr im
Ac na foed cen na rhwd a'i bwyty ddim.

Epigramau Dychanol

Mae dyn sydd yn gwybod nad yw'n gwybod dim byd
Yn gwybod mwy na'i athrawon i gyd.

Ni ddeil lygoden fyth y gath,
   Os caiff hi la'th,
Ac mae gweithio heddiw'n ffôl,
   Tra bo dôl.

Dau beth a gymell fynych hogi
Yw trylwyredd a diogi.

Mae ffermwr yn achwyn o'r crud i fyny,
Pe na fedrai achwyn byddai'n achwyn am hynny.

Nid yw'r tractor, medd modernwyr,
   Yn bwyta'n segur,
Nid oedd ceffyl yn yfed chwaith,
   Wrth ei waith.

Pan dderfydd y tanwydd fe ddiffydd y ffwrn,
'All neb ysgwyd llaw heb agor ei ddwrn.

Os cyrhaeddi ben yr ysgol
   Ar dy drafael,
Disgyn wedyn ffon neu ddwy,
   Mae gwell gafael.

Os cei di gymwynas paid â gofyn yr ail,
Dyw'r iâr ddim yn dodwy ond unwaith bob haul.

Bois yr Hewl yn hala wsnoth
I darro'r ffordd ar bwys Rehoboth,
Torri cwter yno dranno'th.

Mae'r sawl a saif ar ei draed ei hun
Yn debyg o ddamsang traed sawl un.

Os dwy glust
   Ac un tafod,
Dwbl yr ust
   A hanner y trafod.

O synnwyr cyffredin mae'n colegau ni'n llawn,
A hwnnw'n synnwyr cyffredin iawn.

Gochel wneud y bwlch yn ddeufwy
Wrth dorri draenen i gau'r adwy.

Ogof

Dacw lygad cilwgus – hyd y gro'n
    Dagreua'n wylofus
    I'r hen fôr drywanu'i fys
Brigwyn i'w ganol bregus.

Cwm

Mae anaf yn y mynydd – a grafwyd
    Gan gryfion lifogydd
    Iâ ar daith ers llawer dydd
O Eryri i'r 'Werydd.

Y Galon

Yn ei phannwl mae ffynnon – yn rhedeg
    Ar hyd ffrydiau gleision,
    Ac mae sicrwydd ymchwydd hon
Yn fwy na'r holl ofynion.

Englynion Coffa Alun Cilie

(a fu farw ar Ŵyl Ddewi, 1975)

Ŵyl Ddewi wele ddiwedd – anwylaf
    Un y teulu rhyfedd,
  Ein gŵyl yw, ond beth yw gwledd
  A'r hen gawr heno'n gorwedd?

Am 'y nghyfaill mae 'ngofid – a hen ffrind
    Cwmni ffraeth dan gwrlid.
  Mawrth a ladd, mae wrth ei lid
  A hirlwm wedi'i erlid.

Fe'r galon fawr, glân ei foes – a'i reibus
    Arabedd cywirfoes
  Ymdawelodd, mae duloes
  Am dân cerdd, am dynnu coes.

Atom a ddaw fyth eto – y wennol
    I'w hen annedd hebddo?
  Cans doi â'r ha' gydag o
  O dan yr het wellt honno.

Ganwaith fe ddaroganodd – ei golli
    Ond mae'i gellwair drosodd,
  Heddiw'n ffaith, y ddawn a ffodd –
  Credu hynny sy'n anodd.

Mae fy athraw yn dawel, – y galon
    Am 'rhen Gilie'n isel,
  'Iechyd i mi yw drachtio mêl'
  Iechyd ei grefft annychwel.

Ar Ymddeoliad y Parch. Rhys Thomas, Llechryd

Os yw tymor Rhys Thomas – yn darfod,
    A'i yrfa'n ei chyfnos,
  Fe gaiff dalar i aros
  Hyd rynnau'i waith gyda'r nos.

Mae olion ei hwsmonaeth – yn aros
    Yn erwau'i ofalaeth,
  O'i ôl yn hir gadael wnaeth
  Gwysi union gwasanaeth.

Llawn achles mwy Llanuwchlyn; – irhaodd
    Fro Syrhywi wedyn,
  A bu'r ddawn drwy'r bröydd hyn
  Yn ireiddio eu priddyn.

Eu peilot ym mhob helynt, – a'u hangor
    Pan ddôi ing a chroeswynt,
  Ei weithredoedd un oeddynt
  Â geiriau'i bregethau gynt.

Buan goes pob negeson, – bu i'w Iôr
    Yn was bach a hwsmon,
  Cyfarwydd â'r swydd ddi-sôn
  A'r uchelaf gorchwylion.

Bellach fe all ymbwyllo, – a hafau
    Ei lafur yn rhifo
  Hanner cant, ei haeddiant o
  Yw stôl a llaesu dwylo.

Gydag ambell bibellaid – haeddiannol
    I ddiddanu'i enaid,
  Heb fod ragor arno raid
  Eiriol dros bechaduriaid.

Boed iddo bob dedwyddyd, – hir fwyniant
    Nirfana'i seguryd.
  Diolch, hen gyfaill diwyd,
  Ac yn dy fwth, gwyn dy fyd.

Cywydd Jiwbili yr Urdd

Rhowch y planc gweithio pancos
Yn ei le, a'r deisen dlos,
Huliwch yr ŵyl wycha 'rioed
I eneth hanner cannoed,
Gweddus yw in gyhoeddi
Gwledd ben-blwydd o'i herwydd hi.

I'w hardd goch a'i gwyrdd a'i gwyn
Rhodded traw alaw telyn
Hwyliog fawl o gyfeiliant
I nodau iach côr cerdd dant,
Eilied eu sgôr glodus gân
I rwyfus ferch Syr Ifan.

Doed parti dawns ysgawn, siŵr
Â'u rhoddion, ac adroddwr,
Step y glocsen a phennill
Gloywaf y bardd glewa'i bill,
Ac i'r wledd doed dysgwyr lu
Â'r Gymraeg i'w mawrygu.

Yn yr oed rhoed cariadon
Drwy'r holl wlad fawrhad i hon,
Am yr hwyl a'r mawr helynt
Mewn Aelwyd a gafwyd gynt,
Law yn llaw y naill a'r llall
Yn rhoi'r hwyr i'r rhyw arall.

Pob caban sy'n Llangrannog
Yn swatio'n glòs tan y glog,
Neu gwch dan hwyl a gychwyn
I groesi'r lli yng Nglan-llyn,
Rhoed ei fawl, a Rhydfelen
I hon na ŵyr fynd yn hen.

Mae'n ben-blwydd yr arwyddair
A Jiwbili'r gwir tri gair,
Uner gwlad a dathler gwledd
Gwarineb y gwirionedd,
Wedi gweld ei phum deg oed
Dewch i hon weld ei channoed!

Chwech o Gofiannau

Bob Roberts, Tairfelin

Blawd a baledi,
i gyd oedd bywyd i Bob,
farwn y clariwn clir,
y malu a'r Moliant.

Dawn a aned yn henwr
i gyhoeddi bywyd tragwyddol
i ful a fu farw,
a chwalu a'i uchelwich
aeafau ein gofid.

Llanwodd y nos â'n llawenydd ni,
ac wrth ein hiraeth
yr adnabuom ef.
Hen oedd ac ni heneiddiodd,
ond mae'n dawel y felin
a'r maen ar y cantwr mwy.

Bob Owen, Croesor

Llefarodd y llifeiriant
drwy storm ei fwstas,
a delwau cred fel dail crin
a gwympodd i'w gampau.
Deud, deud, deud.

Wdbein wleb yn llychwino'i frest,
ond llechai'n ei fron
y gwir,
ac am wir Bob nid amheuai'r byd.
Cyfrinach yr achau
oedd eiddo,
a phlannu coed teulu tewlwyn
o'r Rhyl i Awstralia
A deud, deud.

Digymell lyfrgell o ŵr,
a phan orffennodd
arllwys cynnwys ei go',
fe wyddai ei fedd
na bu i hwn neb yn ail
am ddeud . . .

Llwyd o'r Bryn

Yn y dechreuad roedd hadau
y gwyniaid yn llaid y Llyn,
a ganwyd Llwyd uwch ei lli
i siwrneio o'r Sarnau
a bodio'r byd i'w bedwar ban.
Ac megis na bu hafal
i bysg y dŵr drwy'r byd oll,
ni bu 'R' gan neb arall
debyg i'r Drewgoed.

Llenydda,
porthmona am enwau,
arwain, storia, darlithio –
cael hwyl,
a'i wyneb yn tywynnu
o lewyrch noson lawen.
Cot a chetyn a bodffon a bawd,
ei drwydded i ryddid,
Poethder y Pethe'n cyfeirio'i draed
a minio'i ymennydd.

Ond rhoed Ionawr yr eira
ar y lludw llwyd,
a'r lori laeth
ni ddaw â maeth i ni mwy.

Dewi Emrys

Mae'r eryr drem ar hir drai
a Phisga'n tyfu'n las
ar ddwylath y dalent –
y dalent nas daliodd
na choler na chywilydd.

Y wialen a ddatgymalwyd,
yr enwair a weiniwyd,
a chwd y serchiadau yn wag.

Ond mae ôl dwylo melyn
Hipi'r gerdd ar y papur gwyn,
A'r cerrig milltir
ar y ffordd fawr
yn galw'r alltud dros y gorwel
i'r bwthyn lle mae'n ango'r ing,
yn lan bob ffolineb.

Yno nid oes
ond dawn,
yn gysur i'r gwŷr wrth eu gwaith
ac yn harddu'r muriau
â rhosynnau perseinedd.

Isfoel

Pan ymwelai â chopaon y moelydd
hen dderwyddon y cynfyd
yn wyneb goleuni,
a'r lloer yn eu llaw –
un ohonynt
a ffoes draw i'n hoes ni
â'i hudlath a'i huodledd.

Cymerth nerth yr hen wyrthiau
i ddisgyblu bro.
Gwreichion ei eingion ef
a droes yn gleddau gylltyrau'r tir,
a'r cleddau'n gylltyrau'n ôl.

Ac ym mwg y megino
ganwyd cynllwynion
a chanllawiau,
corddodd cerddi.

Eithinodd ffraethineb
o gerrig Parc Wherw a Pharc y Bariwns,
a'r faled o'r Foel.

Nisien ac Efnisien oedd
pan oedd llif Felin Huw
yn torri'n groes i'r graen
ac yn rhwygo'r colfenni,
neu'n hollti'r deri yn estyll
pedair onglog,
llyfn,
cadarn.

Rhisglo'r asglod
yn wialenni ysgafn
neu'n flawd llif
a chwalai'r gwynt ymaith.

Ond un mis Chwefror
distawodd y deryn,
a daeth cân i'r Wig.

Idwal Jones

Trech gwên na gwendid
a'r awen na haint.
Onid yw'n hanian
yn drasi-gomedi i gyd,
a'r ffaeledig
yn mynnu rhoi'i gysur i'r gwan?

Bu yn asbrin i'n hysbryd.
Dwy y dydd
yn nŵr yr Aeron
a gliriai ben tost ein hymffrostio,
a *migraine* ein pwysigrwydd.

Ef fu'n llwyfan i'n llafar
a'r awenber ynom.

Yna disgynnodd
llen ar y llen,
ond mae galar o hyd yn galw'r awdur
'Yr awdur, yr awdur.'
A'r curo dwylo
heb dawelu.

Jacob

'Madawodd comedïwr – o roi pall
    Ar y pen llwyfannwr,
    Dan y mawn aeth dawn dau ŵr
    Pan gwympodd 'penigampwr'.

Y byrgoes byw ei ergyd, – y 'mennydd
    Miniog ei ddywedyd,
    Glewaf oedd, a'i gelfyddyd
    Yn ysgafnhau beichiau'r byd.

I'w drem ni ddôi'r dyddiau drwg – na'i lafar,
    Na'i alar i'r golwg,
    Er y clais ni welais wg
    Colyn Amlyn yn amlwg.

Bu'r Cardi 'mhob recordiad – tan ei ffon,
    Tshetai'n ffêr yn wastad,
    Ac i'w lais fe chwarddodd gwlad
    Ar ddifyr stori'r ddafad.

Cefen yr hen, pen storiawr, – gŵr y wasg
    A'r sgript, y bardd cnydfawr,
    Byddai'n glamp o gamp i gawr
    Fyw ei yrfa lafurfawr.

Sdim Ots

Does dim ots 'run ffagotsen
Yn awr am ffasiynau hen –
Dim ots beth yw hyd y mwng,
Gorau arf yw arf hirfwng,
Man a man dyn â menyw,
Sdim ots cans ein system yw.
Sdim ots fod y brestiau mas
Neu i'w canfod drwy'r canfas,
A dim ots fod merched mwy
Â gwaelodion gweladwy.

Does dim ots fod Methodsus
Yn y bar yn codi'u bys,
Na'r eglwysi'n gweiddi'r sgôr
Yn y Bingo yn Bangor,
Sdim ots 'mo'r dam am Famon
Na Duw'r saint gyda'r oes hon.

Sdim ots fod pryddestau mwy
Yn Lladin annealladwy –
Llinell faith a llinell fer
A gair unig ar hanner,
Sdim ots mai dots wedi'i hau
Yw eu bali sumbolau!
Daliwch i hepgor dwli
Ffordd haws y bois ffwrdd-â-hi,
Wŷr uniongred yr hengrefft,
Sdim ots am gracpots y grefft.

Sdim ots am brotestio maith,
Rhieni dros yr heniaith,
Sdim ots 'mo'r dam fod mamau
Yn gweld ysgolion ar gau,
A lwc owts yr heddlu cudd
Yn y genedl ar gynnydd.

Sdim ots am fynegbyst mwy –
Ar y dewr rhodder dirwy,
Oni thâl ar unwaith hi,
Da iawn – y jâl amdani.

Sdim ots beth yw blas 'y mwyd,
Ba les ysfa blasusfwyd?
Bara ryber, a rwbish
O de na safai mewn dish.
Cidni bêns mewn cwdyn bach
I'w cwcia sy'n lot cwicach,
A'r ffa'r un fath â'r carots
Eu tast mwy, ond does dim ots.
Y wraig yn mynd i'r rhewgell
Ffwl sbîd am y ffowls o bell,
Ac yn gorfod rhostio tri
O'r drywod wedi'u rhewi.
Sdim ots, cans mae hast mi wn,
A Mari heb un morw'n.

Aeth yn fyd, fyth na fydwy',
Na sdim ots fod dim ots mwy.

Yr Ystlum

Llygoden ar adenydd, – oer ei wich
   Pan fo'n braf y tywydd,
   Hwyr wibia'n rhith dirybudd
  Ar isel gwrs o'i wâl gudd.

Brwynen

Epilgar elyn parod – diwydwaith
   'Rhen dadau'n eu cyfnod,
   Ond rhag gwynt a rhew ac ôd
  Toiodd hon eu tyddynod.

Ar Gerdyn Nadolig

Y gwair ac nid y gwario, – y preseb
   Nid y pres sy'n cowntio,
   Y geni nid y ginio,
  Ac nid y cig ond y co'.

Baled y Llewod, 1971

O lan i lan dyrchafwn glod
Y Llewod dewr a'u llywydd,
Aeth draws y byd yn saith deg un,
Â Charwyn yn dactegydd,
I ddysgu'r ffordd i chware pêl
I gewri Seland Newydd.

Ar wlad lle nad enillodd neb
Wynebai'r wyth ar hugen
Yn dîm cyforiog o bob dawn
A llawn o Gymry Llunden,
Ac arnynt am y cyntaf tro
Fe roddwyd Cymro'n gapten.

Fe daniodd her eu glewder glân
Yn fuan y tyrfaoedd,
A'u nerth a'u dewrder gyda'r bêl
A hawliodd sêl y miloedd,
A'u medr chwim a yrrodd wres
Renaissance drwy'r ynysoedd.

Na dwrn na maint ni fennai ddim
Ar Gerald chwim na Gareth
Nac ar John Williams chwaith yn siŵr,
Y gŵr a heriai bopeth,
A phan fâi'r frwydyr fwya'i llid
Roedd esgid Barri'n ddifeth.

Y mae John Taylor erbyn hyn
Yn eilun Taranaki,
A Meic a Geoff sydd wedi cau
Geneuau Wanganui,
A Mervyn Davies bron yn sant
Gan blant y Bay of Plenty.

Y ddraig yn awr yn hir y bo
Yn chwifio'i goruchafiaeth,
Tra bo ein mil pentrefi mân
Yn ego â'n gwrogaeth
I lwydd y gwŷr enillodd ged
Y galed fuddugoliaeth.

Y Bad Achub

Mae twr o amaturiaid – yn hwylio'r
    Suliau'n ddianghenrhaid,
    Llawenhau mewn llyn hwyaid
    O fôr haf yn ddifraw haid.

Ond mae'r dŵr yn fradwrus, – a'r hen fôr
    Yn feistr eiddigeddus,
    A diangof y dengys
    Ei rym a'i nerth i'r mân us.

Gynnau, lle gwibiai gwynion – löynnod
    Y glennydd yn feilchion,
    Y mae fflêr y pryderon
    Yn goch a dig uwch y don.

A chriw o chwech ar ei chais – ar ras lawr
    I'r slip yn eu harnais,
    Heb ofyn clod, heb ofn clais
    Rhyfela â'r môr a'i falais.

I gwr rhyw greigiog orallt – yn cychwyn
    Eu cwch anystywallt
    Ar gwrs rhyw hen forgi hallt
    O arweinydd arianwallt.

Heno ni bydd diddanwch – mewn gwrando
    Radio na hyfrydwch,
    Nes daw o nos y duwch
    O draw i'r cei adre'r cwch.

Er Cof am Dri Chyfaill

Enos George

Y tenor â'r hiwmor iach – a'i wyneb
    Annwyl nid yw mwyach,
    Mae'r hwyl ym Mridell bellach,
    Aeth yn nos heb Enos bach.

Emlyn Thomas, y Siopwr

Yr atgo fydd dy gofeb, – llawenydd
    Yn llenwi dy wyneb,
    Fyth yn wir ni fethai neb
    Siario haul dy sirioldeb.

Rhydwin Evans, Blaen-porth

Mae Rhydwin a'i ffraethineb – wedi mynd,
    Nid yw mwy'r disgleirdeb,
    Am stori bu'n ail i neb
    A'i wit a'i barod ateb.

Ond aros eto'n dirion – y mae cof
    Am y coeth gantorion
    Nos cyn Calan, a'r Canon
    Yn ei dŷ yn porthi'r dôn.

Rhyfeddod mewn rhifyddeg, – y miniog
    Ymennydd digoleg
    A roddai liw ar frawddeg
    A'i llwyr werth ar ambell reg.

Bellach yr hwyl a ballodd, – er cystal
    Y gofal a gafodd,
    Y ddawn a'n hir ddiddanodd
    A aeth o'r maes, gwaetha'r modd.

I Cassie

Tregaron yw'r tir gorau – i gadarn
    Godi cymeriadau.
    Y mae i dwf, does dim dau,
    Rinwedd yng nghors y bryniau.

O wreiddio yn eu priddyn – mae nhw'n saff,
    Mae nhw'n sownd eu bywyn;
    Mewn dau air, y mae nhw'n dynn,
    Yn heneiddio yn wddyn.

Ac o'u tras fe ddaeth Cassie, – i yrru,
    Arwain a diddori,
    Aeth y Blaid â'i henaid hi,
    Aeth ei heniaith â'i hynni.

Mae'n borffor ar y gorwel, – yn arwydd
    Fod yfory'n ddiogel,
    Lle bu'r haf ar ei drafel
    Nid yw'r hen fyd yr un fel.

Bwrdd

Cantîn y cŵn otano, – a chynnyrch
    Eu perchennog arno.
    A'i estyll gwyn yn tystio
    I law Mam ar ei elm o.

Y Môr

Diaros aros o hyd – y mae'r môr
    A 'mynd' yn ddisymud,
    Yn ei unfan o'r cynfyd,
    Ac eto'n gyffro i gyd.

I Mrs Tegryn Davies

(ar dderbyn ohoni fedal Syr T. H. Parry-Williams)

Y dryw â'r cryfder eryr,
Y corff brau a'r doniau dur.
Di-roi-i-fewn benderfyniad,
Y llais a'r cais dinacâd.
Dygai'r amynedd digoll
A mwyn air, ein mam ni oll.

Nid er clod fu'r caledwaith,
Nid er mawl yr hirdrwm waith,
Ac nid oedd rhifo'r oriau
Yn ddim yn hanes y ddau.

Rhowch iddi barch ei haeddiant
Mewn cawraidd dôn, mewn cerdd dant.
Y mae nodd pob dim a wnaeth
Mwy'n cnydio mewn caniadaeth.

Rhoddwch gan tlws aur iddi,
Ni thalant mo'i haeddiant hi,
O'r rheng a ddaw ar ei hôl
Ni fydd un fwy haeddiannol.

*Bonesig yn unig all
Euro bonesig arall.

*Cyflwynwyd y Fedal gan y Fonesig Amy Parry-Williams.

Gofyn am Fenthyg o'r Banc

Rwyf fi, Ddewi'n brin o bres
(Hynny a fu fy hanes),
Cans gwyddost fel mae costau
Bywyd o hyd yn trymhau,
Ond mae un pelydryn pŵl
O obaith ym mhob trwbwl –
Rhyw seren wen yn y nos
Arnom po ddua'r hirnos.

Dewi, mi ges eidea
Yn ddi-os a dalai'n dda
Pe cawn, amryddawn fy mrên,
Gyfoeth dy fanc wrth gefen.

Ymateb ein Hundeb ni
I wladwr yn ei dlodi
Yw miloedd o ymwelwyr,
Troi pawb yn westywr pur.
Deil hi mai rhoddi sydd raid
Mwy ein trỳst mewn twristiaid –
Cael Lebor Clyb ar y clos
A thenant bob pythewnos,
Carafan ym Mharc Erw Fach,
Neu bebyll ym Mharc Bwbach,
Siale dan Fanc y Rhedyn
A'r llall draw ger Allt yr Ynn,
Swyno Saeson sy eisiau
I'n tir nawr nid trin a hau.

Mi a wn y daw'n eu mysg
Yma wŷr golff yn gymysg,
A bod o bell ambell ŵr
O gwmpas sy'n gryn gampwr –
Sydd fel ti, Dewi dy hun,
Yn reial olffiwr, rhywun,
Dewr gledrwr sy'n bwrw'r bêl
I'r union bellter anwel –
A wna, yn siŵr, ag un siot
A wnai dwsin â dwysiot.

Ond ym mhle'r ymarfer ef
Ei fedr pan na fo adref?
Ym mhle'r ffordd yma mae lincs
Ag uchelfflag, wych olfflincs?
Na grîn lle'r eheda'r grows
Uchel heibio, na chlybows?

A ches innau'r gwych syniad,
Os cei roi im dy sicrhad
Am arian, i gymeryd
Yn dir golff yr Hendre i gyd.
Rhyw ganmil gynnil a gyst
Y cwbwl oll, myn cebyst.
Os ti a'm tynni o'm twll
Awn ati i greu cwrs nawtwll
Â'i borfa fel Glenbervie,
A'i griniau teg a'r naw tî
Yn edrych draw uwch dŵr hud
Ar nwyfre Erin hyfryd.
Ffêrwe a ryff hir a rhonc
A dibyn serth a dwybonc –
Caem arbed gosod rhedyn
A chyrs a phrysgoed a chwyn
A dŵr, waeth mae'r rheini'n dod
Yn burion yma'n barod.

Dreifio dros goed yr afon –
Gorau siot a groesai hon,
I'r banc lle rhown dri byncer
A heriai gamp gŵr a'i gêr.
Bâi angen whampen o ail
I basio llyn y biswail,
A diamau rhôi'r domen
Islaw braw ar ergyd bren.
Dwy siot i glirio'r das wair
I wneud y clos mewn pedair,
Lle rhôi y slwts â'r llawr slent
Her i bytiwr a'i batent.

Y Clwb ym mhen ucha'r clos
Lle'n awr mae'r lloi yn aros,

A'i oludog aelodau
Yn dod i yfed, a hau
Pawenaid o ddegpunno'dd,
A mi yn medi eu modd.
Mi godwn dair am gadi
Arnynt, a phumpunt o ffi
Neu ragor am gropio'r grîn
A thrwytho perthi'r eithin,
A hurio hen 'bro' am bris
Hefyd i flingo'r nofis.
Telerau rhad i'r ieuanc
Ie, a bois y Midland Banc!
Mi a wnawn yn hawdd mewn haf
Elw ar fy nghyfalaf.

Beth a feddyli di, dwed,
Dewi, o'r syniad, dywed?
Atolwg dwg ef os da
I wyddfod dy Brif Swyddfa.

Pe bawn Sais, y cais teg hwn
A gâi ust yn ddigwestiwn;
'E gawn i barch gan y Bwrdd
Ac offis i'm capgyffwrdd.

Rho chwys mawr i'r achos mau
A'th huodledd wrth ddadlau.
Golff di-gost sy'n d'aros di
Os daw'r 'gwsberis', Dewi!

Clawdd

Diwyd gamp 'rhen dadau gwych – a'i cododd
    I gysgodi'r bustych,
  A phlethu sgarff helaethwych
    Arno o ddrain i ddior ych.

Epigramau

Ni ddaw chwaith lle na ddaw chwyn
Unrhyw raen ar ei ronyn.

Hawdd gan y galon faddau,
Y co' o hyd sy'n nacáu.

Rhy hwyr bob tro yw hiraeth
I ddirnad sangiad y saeth.

Amser yw balm oesau'r byd –
A bai creulonaf bywyd.

Tra bo copa'r Wyddfa'n wyn
Anodd yw mendio gronyn.

O gwrw mawr daw geiriau mêl –
A chrefydd, serch a rhyfel.

Oes raid y fath ffws o ryw?
Oed Eden onid ydyw?

Ysgawn y cwsg ieuanc oed,
Ysgawnach y cwsg henoed.

Onid yw'n werth gwneud yn awr,
Diwerth yw gwneud mewn dwyawr.

Genwair

Er i mi gael yn strem gwynt – hwyl â'r rîl
   A'r wialen ganpunt,
   Bu'n fwy 'mhleser uwch cerrynt
   Â gwialen gollen gynt.

Gwialen Fedwen

Ei *henwi* gynt fu'n ddigon – i reidiol
   Wastrodi'r plantcrynion,
   Rhy dda'i moes yw'r oes wâr hon
   I'w rheoli mor greulon.

Pedwar Englyn Beddargraff

Hen Ferch

Rithiau pert rhyw hiraeth pell – ni welir
    Uwch dy olaf pabell,
    Ond daw'r haf at dy gafell
    Â'i rosod gwyllt dros dy gell.

Meddyg

Ddoe gweiniodd feddyginiaeth, – a nacáu
    I'r Cawr ei ysglyfaeth,
    Ac er pob ffisigwriaeth
    I'w well yn awr colli wnaeth.

Rheolwr Banc

Eto nid enfyn atoch – ei gerydd
    Mewn ffigyrau gwaedgoch,
    Ei ddwrn mwy ni fydd arnoch,
    Heno cwsg efe'n y coch.

Mam-yng-Nghyfraith

Er fy lles bu'n busnesa, – er fy lles,
    Ar fy llw, bu'n cega,
    Ac er fy lles, ddynes dda,
    Tawelodd, reit i wala.

Ugain o Benillion Telyn

Gyrru adre ar nos Sadw'n
Cur 'y mhen i'n poeni'n gynllw'n,
Bore drannoeth yn y Cymun
Cur 'y mron i'n waeth o dipyn.

Daw'r gwair yn gloi i gwlwm
Os caiff e haul a gwynt,
Ond deued cwmwl heibio
Fe ddaw e'n dipyn cynt.

Mae'r wennol ar ei bola
A newid 'i got mae'r broga,
A'r crychy' glas yn cyrchu glaw
Yn bwrw draw am Beulah.

Dyn drws nesa wrthi'n brysur,
Dysgu'r wraig i ddreifio modur,
'Mhen pythewnos lawr i'r pentre,
Moyn T.V. i'w chadw adre.

Addo hyn ac addo arall
Mae'r gwleidyddion uwch pob deall,
Byddai'n dipyn haws eu gwrando
'Tae' nhw'n addo peidio addo.

Rhoi pedwar mochyn yn fy nghart
A mynd i'r mart yn Llambed,
A'r morthwyl mawr yn dod i lawr
Heb fawr o ail ystyried,
Ac ar ffor' adre mynd i'r Cop
I glirio peth o'm dyled.

Dŵr ar waun a dŵr ar fynydd,
Dŵr yn cronni'n llond y ffosydd,
Dŵr ymhobman ledled Cymru,
Dŵr i bawb all fforddio'i brynu.

Mae cwrw gwell na'i gilydd
Er nad oes cwrw gwael,
Ond man lle bo 'nghyfeillion
Mae'r cwrw gore i'w gael.

Prynu ffarm yw prynu ffwdan,
Prynu gwaith yw benthyg arian,
Prynu gwael yw prynu o gwbwl,
Prynu dim yw prynu trwbwl.

Mae colli awr cyn brecwast
Yn ddwy cyn delo'r hwyr,
Mae dechrau wedi cinio
Yn colli'r dydd yn llwyr.

Sŵn y ffair oedd gynt yn annwyl
Yn fy nghlustiau wrth ei disgwyl,
Ond yn awr y mae'n fy mhoeni
Sŵn y ffair na chaf fynd iddi.

Yr ŷd sy'n tyfu'n ara
Yw'r ŷd sy'n mynd i bara,
Y lleia'i rwysg yw'r tryma'i rawn
Pan ddaw Nos Galan Gaea.

Rhyfedd iawn fel mae'r gwleidyddion
Yn newid meddwl fel y mynnon',
Ond mwy rhyfedd na baem ninnau
Yn meddwl am eu newid hwythau.

'Nelu magle yn y cloddie,
Treio dal cwningen fawr,
Lefren fach yn dod rhyw nosweth
Wedi drysu'r magle nawr.

Y mae'r wraig yn poeni'n gynllw'n
Fod ei dillad mas o'r ffasiwn,
Bod ar ôl y ffasiwn yma
Yw bod o flaen y ffasiwn nesa.

Gweld helyntion yn Awstralia
Ar y sgrîn yn rhwydd fy ngwala,
Ddim yn gwybod faint o hafog
Wnaeth y storm yng nghae 'nghymydog.

I'r Steddfod gyrrais bennill,
'Tai hwnnw'n digwydd ennill
Mi awn am griws o naw mis crwn,
Ni sobrwn tan fis Ebrill.

Yn yr haf fe ddaw yr heulwen,
Yn yr haf daw cân i'r gangen,
Yn yr haf daw'r clêr i bigo
A'r ymwelwyr yma i drigo.

Prinna i gyd bo'r cae o borfa
Saffa i gyd yw'r ffens fynycha,
Lle bo'r maes yn tyfu'n las
Nid yw pyst y ffin mor fras.

Y mae'r dorth y dal i godi,
Ceiniog ddoe a cheiniog fory,
Mae 'na rywbeth, reit i wala,
Mwy na berem yn y bara.

Govan
(cymydog o efrydydd a fu farw mewn tanchwa mewn labordy)

Mae trallod mawr y byd
Yn fwy na chalon brudd,
A mwg y danchwa yn ei grym
Yn cuddio golau'r dydd.

Mae trallod mawr y byd
Yn is na gwraidd yr yw,
Ac egin dysg yn torri tir
A threngi cyn cael byw.

Mae trallod mawr y byd
Tu hwnt i ddagrau dyn,
A phoen a galar a thristáu
Yn Nuw yn mynd yn un.

Y Ffordd

Nid brws a thun o baent yw'r ffordd, medd rhai,
At gydraddoldeb iaith; nid protest groch,
Nid sennu'r Uchel Lys, na phigo bai –
Ond gellid mynd i Lundain drwy Gorsgoch.
Nid derbyn swyddi breision am droi'r got,
Medd eraill, na thaeogi chwaith, yw'r ffordd,
I Brins na gŵr sy'n ennill rasus iot,
Ond gellid bwrw hoelion clocs â gordd.
Medd eto eraill, cyfraith gwlad a threfn
Wleidyddol democratiaeth ara bach
Yw'r unig ffordd y daw-hi, ond drachefn
Mae'n bosib golchi'r llawr heb ffedog sach.
I Ddafydd Iwan yr un fath â Siors
Y ffordd i'r ffordd sy'n anodd yn y gors.

Cysgod

Rhes o'r masarn cadarnaf – a'u gosgordd
   Yn gysgod amdanaf,
    Eu hirder yn nhrymder haf,
    A'u gwiail yn y gaeaf.

Yn Angladd Waldo

Iddo weithian fe ganant, – ond ofer
   Pob dyfais a feddant;
    Pan dawodd, torrodd y tant
    Fedrai roi iddo'i haeddiant.

Englyn Cydymdeimlad

Am dy alar galaraf, – oherwydd
   Dy hiraeth hiraethaf,
    Yn fy enaid griddfannaf
    Drosot ti, a chyd-dristâf.

Nadolig

Cenwch donc, cynheuwch dân,
Dygwch i blentyn degan,
Gelwch wlad i gylch y wledd
Yn llon 'run fath â'r llynedd.
Y newydd hen eto a ddaeth
I ddyn yn ddiwahaniaeth.

Y plant sy biau Santa,
Ganddo dwg y newydd da
Yn llywanen llawenydd
Dros y wlad cyn toriad dydd.
Clywch ei droed a'r clychau draw
Ar awelon yr alaw.

Rhowch sbrigyn o'r celyn coch
Ar y drws yn ir drosoch,
A'r goeden ffer a geidw'n ffydd
Drwy y gaea'n dragywydd,
I addoli'r geni gwyn
Ym mhreseb llwm yr asyn.

'Run yw geiriau'r hen garol
Ag oedd flynyddoedd yn ôl,
Ond cedwch ddôr agored
I'w siriol lais hi ar led,
O achos y mab bychan,
Cenwch donc, cynheuwch dân.

Yfory

Mae heddiw'n mynd yn ddoe yn rhywle, draw,
A gwn yn siŵr fod bröydd hud ar daen
Tu hwnt i'r ffin sydd, megis pont y glaw,
Yn dal i symud gyda mi o'm blaen.
Ar gyfer y dwthwn hwnnw y bûm yn troi
A thrin y tir, a chodi 'nhrem ymhell,
O'i blegid hefyd y bûm yn osgoi
Sawl tasg gan ddisgwyl am ryw gyfle gwell.

Ac oni ddwg yfory yn ei bryd
Gynlluniau fy ngobeithion oll i ben,
Mi wn y byddaf wrthi'n chwilio o hyd
Tra'r erys rhith o bont y glaw'n y nen.
Fel y mae heddiw i bob doe'n eu trefn,
Mae fory i bob yfory i ddod drachefn.

Taid

Ei ddwylo fel dwy ddeilen, – y mae'r grym
        O'r gwraidd wedi gorffen,
    Mae 'nhaid nawr yn mynd yn hen,
    Ddoe'n graig a heddiw'n gragen.

Sebon

Anfoesol yw canfasio, – yn eglur
        Mae'n beryglus breibio,
    Trech tacteg porthi'r ego,
    Yn enaint rhad wna'r un tro.

Yn Angladd Alun

(gan gofio'i soned 'Sgrap')

Bu hebrwng arch hen gyfaill tua'r llan
Yn ddolur calon drwy'r prynhawn i mi,
Hen grefftwr nad oedd iddo mwyach ran
Na lle'n llenyddiaeth ein hoes fodern ni.
Allan o ddrorau'r cof y daeth y cwbwl –
Arabedd iach a soned, mydrau dwys.
Cynghanedd gain, telyneg, odlau dwbwl,
Aeth ymadroddi persain dan y gwys.
Ac er i fois Pontcanna a'r BBC
Wneud eu gorau i dalu iddo barch,
Ni welsant hwy mo'r llun a welais i
Wrth glywed sŵn y grafel ar ei arch.
Aeth rhywbeth mwy na chorff o dan y gro
Pan gaeodd Ddydd Gŵyl Ddewi'i lygad o.

Ceiniog

Unwaith bu'n annibynnol, – o freiniau
Sofraniaeth yn sumbol,
Diwygiwyd hi'n 'Pi' degol
Heddiw ac aeth yn Dde Gaulle.

Drws y Cefn

Dôr â dwrn di-rwd arno, – nad â neb
Ond cydnabod ato.
I sŵn clocs a sionc 'Helo'
'N agoryd heb ei guro.

Delyth (fy merch) yn Ddeunaw Oed

Deunaw oed yn ei hyder, – deunaw oed
    Yn ei holl ysblander,
    Dy ddeunaw oed boed yn bêr,
    Yn baradwys ddibryder.

Deunaw – y marc dewinol, – dod i oed
    Y dyheu tragwyddol,
    Deunaw oed, y deniadol,
    Deunaw oed nad yw'n dod 'nôl.

Deunaw oed – dyna adeg, – deunaw oed
    Ni wêl ond yr anrheg,
    Deunaw oed dy i'engoed teg,
    Deunaw oed yn ehedeg.

Echdoe'n faban ein hanwes, – ymhen dim
    Yn damaid o lances,
    Yna'r aeth y dyddiau'n rhes,
    Ddoe'n ddeunaw, heddiw'n ddynes.

Deunaw oed yw ein hedyn, – deunaw oed
    Gado nyth y 'deryn,
    Deunaw oed yn mynd yn hŷn,
    Deunaw oed yn iau wedyn.

Deunaw oed ein cariad ni, – deunaw oed
    Ein hir ddisgwyl wrthi,
    Deunaw oed yn dynodi
    Deunaw oed fy henoed i.

Angor

Y mae dieithriaid weithiau yma'n dod
A synnu gweld yr angor ger y tŷ
Mor bell o'r môr, a minnau'n dweud ei bod
Ar un o longau'r Plas mewn oes a fu,
Ac yna'n trio gwneud rhyw jôc fach wan
Wrth gynnig llaw i'w derbyn dros y ddôr,
'Wrth honna'r ŷm yn rhaffo'r simne pan
Ddaw stormydd mawr y gaea a'r gwynt o'r môr.'
Mae brws paent Siân a'i gofal wedi'i throi
A gwneud ohoni addurn digon tlws
Lle'r oedd y plant fel arfer yn crynhoi
Pan oeddent fanach, ond cael cil y drws.
Ac aed y byd yn bedyll, rwyf yn saff,
Ni'm dawr y storm â 'ngafael yn y rhaff.

Hirlwm 1976

Nid rhyfedd ŵyl Fair eleni,
A'r eira dros bob man,
Fod y fuwch heb ei digoni
A'r praidd â'u hŵyn yn wan.

Nid rhyfedd ddechrau Ebrill,
A'r gwynt yn blingo'r tir
A'r ydlan wedi darfod,
Fod byw yn llwm yn hir.

Ond rhyfedd cymaint sychder –
Pob nant a ffos ar drai,
Y borfa wedi crino
A hithau'n ddiwedd Mai.

I Ofyn Benthyg Ceffyl

Am i ti roi, troi bob tro
Fel hyn yr wyf i'th flino,
A dyfod ar dy ofyn
Â newydd gais bob dydd gwyn.
Hawdd i neb a gadd un waith
At yr hael yw troi eilwaith.

Amlhau o hyd mae fy mhlant
Eu nifer fel y tyfant,
Daeth y storc â rhyw borc bach
I mi bob blwyddyn mwyach,
Gwyn a Gwenno a Gwyneth
A Bob, Aneurin a Beth,
A bydd, mi fentrwn i bunt,
Un eto leni atynt.
Ond roedd Mamgu'n un o wyth,
Yn gatholig ei thylwyth.

Felly aeth o fewn fy llys
Er ys term yn bur stormus –
Rhai mawr yn bwrw'r rhai mân,
Rhai'n canu a rhai'n conan.
A mi yn ŵr sy'n moyn hedd
Â menyw ddiamynedd,
Mae'n Vietnam yma'n amal,
Wn i ddim a fedra i ddal
Yn hir iawn y fath driniaeth,
Ac i wneud y drwg yn waeth –
Gyda hyn bydd Cymru'n cau'r
Ysgolion dros y gwyliau.

Dau fis o wae difesur
Bob ha' sy'n dod, poendod pur.
Piti mawr petai eu mam
A mi'n sâl mewn aseilam.
Yn rhwydd i hyn medrai ddod
Arnom ein dau ryw ddiwrnod.

Rhois asyn yr un i'r haid
I dawelu'r fandaliaid,
A'u troi mas tua'r meysydd
Â'r doncs i chware drwy'r dydd.
Yn wir aeth ymlaen yn braf –
Ond tyngai'r crwt ieuengaf
Nad oedd e eisie asyn,
Na fynnai'i weld ar gefn un.
Iddo ef – ceffyl neu ddim,
On'd oedd e'n gythraul diddim!
(Y mae cryn dipyn o'i daid
Yn hwn yn cnoi ei enaid.)

Gymar, rho fenthyg imi
Geffyl yn fy helbul i,
O'th ugeiniau i gau ei geg
Fel na chwyna ddim chwaneg.
Un go lew yw'r cobyn glas
Gennyt oedd mewn *gymkhanas*,
Ac un digon diogel
I grwt ple bynnag yr êl.
Oni fâi llanc, ar fy llw,
Yn ddyn, a feddai hwnnw?
Y pen main poni mynydd,
Llygad fflam a'i lam fel hydd,
Eto mor ffein ei natur
Ag oen bach wrth hogyn byr.
Â'i gobyn byddai'n gowboi
Yr holl le yn cwrsio'r lloi,
Neu'n brins Sycharth neu'n Arthur
Ar siwrnai'n arwain ei wŷr.

Gennyf ar lain fach gynnes
Yn y Ffridd mae hadau ffres
Yn sbâr ac eisiau'u pori,
A gâi yn fwyd gennyf fi.
Yn wir i ti, i'r crwt dwl,
Y cobyn fyddai'r cwbwl,
Ef fyddai'n rhoi iddo'i fran
A'i ollwng i'r dŵr allan,

Ac fe'i dysgaf ei dasgau –
Ei nôl y nos a'i lanhau,
Ni fydd amser i herio
Na chynhenna gydag o,
A bydd yn ddedwydd wedyn
Fy nhŷ a'm teulu'n gytûn.
Rho geffyl, o'm helbul i
I'm dwyn, dwed, beth amdani?

Calan

Agorwch ddrws i'r flwyddyn
A'i g'lennig rhowch i blentyn,
Mae'r llynedd wedi mynd dros gof
A chilio fel ei chelyn.

Dewch mas â'r llifiau ffyrnig
I ruo yn y goedwig,
Mae gwaetha'r gaea eto i ddod
A'r ôd yn angharedig.

Mae'n galed wedi'r gwyliau
Dod 'nôl i'r hen rigolau,
I gychwyn tasg a chynnau tân
Â llanast ein cynlluniau.

Rhwydd iawn y gwneir adduned,
Ei chynnal hi sy'n galed,
Pan fo'r demtasiwn gyda dyn
Yn becyn yn ei boced.

Mae heddiw a'i gysuron
A fory â'i obeithion
Yn byw ar bethau doe erioed,
Hen goed a hen arferion.

I Ddiolch am Gymwynas

I'r ymyl mae'r fro yma
Â'i llond o gymdogion da,
Ynddi hi y mae i ddyn
Gyfaill waeth beth fo'r gofyn,
A diraid dweud, yr wyt ti
Yn addurn teilwng iddi.
Ddai hoff, mae help yn ddiffael
Yn Llwyngwyn yn llon i'w gael.

Anner las yn wan ar lawr
Yn darfod mewn poen dirfawr
A fu gennyf i gynnau,
A'r fet yn methu'i chryfhau.
Er pob moddion gwyddonol
Ni châi yn iach hi yn ôl.

Nodwyddodd ffrydiau iddi
Yn ofer i'w hadfer hi,
Rhynnai'n wan â'i thrwyn yn oer
A'i llygaid pŵl yn llugoer –
Croen yn dynn a'i blewyn blwng
A'i chlust yn gwachul ostwng.

A mi heb obaith mwyach,
Ildio wnes ei gweld yn iach
Yn pori rêp ar y rhos,
Neu'n y dŵr yn stond aros –
Llyo wyneb llo anner,
Na ffoi i'r clawdd o ffor' clêr.
Amheuais iddi eisoes
Dynnu'n gryf am Dan-y-groes.

Ti'r un dydd yn digwydd dod
Heibio a'i gweld gan wybod
Am hen ŵr dros drum New Inn,
Oedd yn ddiau yn ddewin
A allai'i gwneud yn holliach,
Drwy'i gyfrinion eto'n iach.

146

Fe'i herchaist ef i'w orchwyl
Heb nacáu, a hithau'n ŵyl,
Â'i gyfrin feddyginiaeth
Union weld y drwg a wnaeth.

Yr anner erbyn drennydd
A gaed ar ei thraed yn rhydd,
Unionai'i chwt a chnoi'i chil
Ac annog imi'n gynnil
I moyn y ffiol bwyd mâl
Neu estyn gwair i'w rhastal.
Yn fuan daeth ail fywyd –
Ac o'r fan cryfhâi o hyd
I'w throi hi pan ddaeth yr ha'
Allan wedi llwyr wella.

Hirben ffisigwr ffwrbwt,
Da'i gael at Glefyd y Gwt.
Ei floneg a'i arlleg ef
A ddiweddodd ddioddef,
Ond dy wybod hynod di
Awgrymodd y gŵr imi.

Am hynny o gymwynas
Anwylach wyt, diolch was.

Penffin

Y mae heno fel mynwent, – hen aelwyd
      Ein hwyl adolesent,
    Drws o'i le a'i do ar slent,
    Tawelwch lle bu talent.

Y Llwybrau Gynt lle bu'r Gân

A rodio Fanc y Rhedyn
A wêl islaw irlas lyn,
A ffrwd fechan drwy'i ganol
A ran yn ddwyran y ddôl.
Fe'i try gaeaf yn afon
A hin haf yn rhewyn hon.
Ac ar bwys lle'r arllwys hi
Ei dŵr i Barc y Deri
Yn si i gyd, mae cornel sgwâr –
Diail i fochyn daear –
Yn dagedig i'w adwy
O wern mawr a masarn mwy.
Mae'r eithin a'r drysi'n drwch
A helyg yn anialwch,
A chan daled y rhedyn
Âi'n ei ddail o'r golwg ddyn.

Ond taniai gynt yno gerdd,
A dringai nodau'r angerdd
O wefusau defosiwn
O'r cwm brigog, cawnog hwn.
Selog wŷr y Suliau gynt
Â dwrn yr erlid arnynt,
Yno'i ganu'n ymgynnull
Mewn capel cêl dan y cyll,
Lle ni ddôi llid erlidydd
Na ffals elynion eu ffydd.
Nawdd unigedd i'w gweddi
A choed tal i'w gwarchod hi.

Yn y fan ni saif heno
O'u hen dŷ cwrdd ond y co'.
O'r ciwb o gerrig cabol
(Mae'n rhy drwm i unrhyw drol)
Nid erys ond un diraen,
Goludog-o-fwsog faen,
A rhew a haul yn eu tro
Yn ei araf falurio.

Yn y gilfach llaw gelfydd
Ara deg ers llawer dydd
Fu'n gosod rhes o glotas,
A chreu clawdd â cherrig glas,
Yn mesur a chymhwyso
Cadernid o'i wendid o.

Drwy chwys tost rhoi deubost iet
Ar eu seiliau'n bâr solet.

Erys y gamp dan wrysg ir
Yn gofeb un nas cofir.
Y gaer a heriodd gyhyd
Ych a'i hil i'w dymchwelyd.

A rodio Fanc y Rhedyn
Heno a glyw yn y glyn
Chwiban erchyll curyllod
I'r drain du o'u crwydro'n dod,
Ac yn y chwa igian chwyrn
Ynn yn ysgwyd hen esgyrn.

Hagrwch

Ddwy ganrif 'nôl, pan oedd y Rhondda'n dlos,
A dŵr y Taf a'r Tawe'n llifo'n bur,
Fe ddaeth Cyfalaf yno erbyn nos
A chodi hagrwch pwll a gweithiau dur.
Ond erbyn hyn, a'r elw'n mynd yn llai,
A chiwiau'r dôl yn gorfod talu'r doll,
Mae'r rhai fu wrthi wedi gweld eu bai'n
Ailblannu coed a phorfa'r Wynfa goll.

Mynydd a glan y môr sy dani'n awr
Yn enw Cynnydd yn cael breintiau pres,
A'u dwyn o dan adenydd arian mawr
A'u hagru wrth y filltir er eu lles,
Ac ym mhen canrif arall bydd ein plant
Yn clirio carafannau wrth y cant.

Parodi

Mi fûm yn gweini tymor
Yn stiwdio'r HTV,
A dyna'r lle rhyfeddaf
Erioed a welais i,
Y merched mor ffasiynnol
A'u sgertiau'n fyr a thyn,
Fy nghalon fach a dorrodd
Ar waetha'r pethau hyn.

Os gwir fod gwenwyn araf
Mewn coffi ac mewn te,
Mae'n rhyfedd fod un enaid
Yn para'n fyw'n y lle.
Mae bwyta bwyd yn burion,
A chael te deg yn iawn,
Ond beth ddwedwch chi am ginio
Yn para drwy'r prynhawn?

Mae pawb â'i sgrifenyddes,
A dwy gan ambell un,
A berchir nid yn gymaint
Am eu lles ag am eu llun,
Mae'r stiwdios oll yn fodern
A'u golau'n wyrdd a choch,
A'r clociau i gyd yn aros
Pan ddaw hi'n bump o'r gloch.

Ymddiddan rhwng Fo a Fe

Fo: Tomos, mae'n ddistaw yma,
       Chwerw'r wyf ers dechrau'r ha';
       Y cyfaill ffraeth, ble'r aethoch,
       Hwntw y cap a'r tei coch?
       Amdanoch mae Diana
       Yn holi'n hir, wylo wna,
       A George, yma gydag o
       Rwan does neb i ffraeo,
       Wedi capal cystal cau
       Harmoniam yr emynau.

Fe: Effraim 'Uws, mae'r niws yn wael,
       Odw i wedi'ch gadael.
       Mae'n unig, sdim un wyneb
       Yma o'r North, nemor neb,
       Diwc, Cwîn na deiaconiaid,
       'Eblaw un neu ddou o'r Blaid.

       Acha plên, 'alwch chi plîs
       Wyboteth o'r hen bytis?
       Yn y Clwb, nawr o gwbwl,
       Odi Wil Chips â'i dips dwl
       Ar nos Sul, a'r hen Sali
       Yn y sied mas, shwd ma' hi?

Fo: Tomos, heb os rhaid eich bod
       Yn nerfus wrth gyfarfod
       Enwog wynebau hanes,
       A'n gwŷr mawr yn awr yn nes.
       Lloyd George â'r llafar arian,
       A'r 'danbaid, fendigaid Ann,'
       John Eleais urddasol,
       Gandhi a Gwynn a De Gaulle . . .

Fe: 'Uws y Gog, sdim *class* i ga'l,
       Nacos, ma' pawb 'ma'n icwal.
       Yr un yw'r aristocrat,
       Tori a phroletariat.

Capitalist – blaclisted,
A iwnion, reit, pawb yn *Red*.
Cydwithwrs, wrth gwrs, i gyd,
Gw boi, yn pego'u bywyd.

Es at Stalin i gin'o
Fore dydd Iau, a'i frawd ddo',
A Stalin ato inne
Yn dod â Charl Marcs i de.
Harpo Marx yn dropo miwn
A wynebau o'r Tribiwn.

Wy'n waco 'da Gwyn Nicols
A'i gotsho i gico gôls –
Towlu pas i Jac Basset
A Eifion Wyn – 'na foi nêt.

Fo: Diau a'ch dawn, rhoed i'ch, do,
        Y delyn aur i'ch dwylo?

Fe: Na, rwy' yn *brass band* Handel
        Ar y *C bass* nawr ers sbel,
        Ar bwys yr hen Bach, achan,
        A fe Liszt yn y sêt fla'n,
        Beethoven, a Boote hefyd,
        Da iawn eu gweld nhw i gyd.

Fo: Oni ddowch, mae'n ddiwedd ha',
        Tomos fyth eto yma?
        Mae'r plant yn disgwyl panto
        Awel iach eich talihô,
        Ac mae'n lleddf mewn Eisteddfod,
        Ni bydd hwyl a chi heb ddod.

Fe: Na wir, nefyr in Iwrop,
        Y do' i mwy, do's dim ôp.

Gŵr y Banc ger y Byncer

Gŵr y Banc ger y byncer – yn ceibio'r
    Cwbwl yn ei gyfer,
    Trasho gwyllt dorrws y gêr,
    Y *nine* aeth yn ei hanner.

Os oes fod diwreiddio drain, – a rhwygo
    Brigau gelltydd cyfain,
    Bâi well arf bwyell hirfain
    O lawer na nymber nain.

Yn lle hanner y geriach – a gedwi'n
    Dy gwdyn petheuach,
    Byddai'n well i ti bellach,
    Atolwg, gael bilwg bach.

Isaac Nash wnâi'r dasg yn haws – yn ddiau
    I ti Ddewi hynaws,
    Ac yn nhacl ein Jack Nicklaus
    Ni fâi drwg petai llif draws.

Ragor rwy'n dy gynghori – i gadw
    Dyn gydat i hogi,
    A heb un dowt, pe bawn di,
    Huriwn goedwr yn gadi.

Awel Fwyn i'r Ŵyl Fawr

(Eisteddfod flynyddol Aberteifi yn 25ain oed)

I Ddolwerdd doed pob cerddor
Yn irder Mai ger dŵr môr,
I siriol faes yr Ŵyl Fawr
Yma'n gymanfa enfawr,
Mae'r steddfod yn dod i'w hoed,
Cenwch i'w chwarter cannoed.

Â'i griw o weithwyr diwyd,
Mae O.M.O. yma o hyd,
Mae Jac y Fet am jôc fach
Yn ŵr na bu'i ragorach,
A byw lais dau Ddybliw Âr
Lan o'r llwyfan yn llafar.

Fe'r *Hardware* a'i frwd eiriau –
Acen goeth drwy'r meic yn gwau,
Siriol byth yw Cyril bach,
Heb ddowt ni bu'i ddiwytiach,
Gwŷr glew ar eu gorau glas
Yn ôl rheol Andreas.

Gan faint ei braint dathled bro
Ŵyl Fawr y cydlafurio,
Gŵyl y pethau gorau i gyd,
I gerdd a llên gydgwrddyd,
Mae'n well gŵyl na'r Brifwyl bron
I glywed corau glewion.

Ganwyd twr o gantorion
I fwy nod ar lwyfan hon,
Ym more'u crefft dyma'r crud
I'w hanfon dros gyfanfyd,
Enwau mawr yn awr i ni –
Bu'r twf yn Aberteifi.

Dewch i ddathlu'r antur hon
Eleni dan haul hinon,
Rhowch eich pres iddi'n bresant
A hi'n cael ei chwarter cant,
Deuwch bawb, heidiwch o bell
Bobol i lenwi'r babell.

Gwenoliaid

Ddoe ebrilliodd briallen
A dangos o'r ffos ei phen,
A daeth un aderyn du
Uwchben i gryg chwibanu.

Doed cymar o lwyn arall
I uno llais gyda'r llall,
A'r twristiaid a heidiant
Eilwaith i'n plith ni a'n plant.
Awr o haul ac mae hi'n ras
Ddienaid draw o'r ddinas.

Cylion mawr y Calan Mai
Eto ddônt i'w hafotai,
O'r pedwar ban yma'n haid
Yn ôl i'w tai gwenoliaid.

Porth yr Aber

(Cerdd i Leisiau)

Llais 1   Y mae hollt yng nghraig y môr
A rhwyg, fel porth ar agor,
Yng ngodre bae fy mebyd,
Ac aber ers bore'r byd,
A mainc lle trochionodd môr
Yr oesau'i deidiau didor
O gylch trwyn, a golchi traeth,
Drwy'i ddiwydrwydd, yn ddeudraeth.

Dygai swnd ei gysondeb
I loywi ael carreg wleb –
Rhygnu'r cregyn o'r creigiau
Ac i fewn i'r ogofâu,
A llyfnhau â llif ei nerth
Genfaint y creigiau anferth,
Nes naddu'n gyson iddynt
Fan i gwch o fin y gwynt.

Hyd ei fin dwy afonig
Yn dair rhan a holltai'r wig,
A chrwydrai buwch ar dir banc
A defaid ar ei deufanc.
Tonnai'r ŷd dan y rhedyn
A huliai'r glas lawr y glyn.
Roedd tyddyn a bwthyn balch
Yn ei hengot o wyngalch,
A threflan ar lan ei li
O wŷr môr mawr eu miri.

Llais 2   Does 'na fawr ar ôl o'r hen oes
Ond y co',
Ac ambell afel yn rhydu'n y graig
Lle mae'r ffordd gart yn tynnu o'r traeth i'r odyn,
A lluched traed y meirch
Wedi cafnu ffordd i'r gawod
Fynd adre i'r môr.

Ond yng nghegin y Ship
Mae darn o slawer dydd

Wedi ei gadw am byth
A'i hongian at y mamplis –
Y 'Meri Ann' ar y trai
Yn drwm o'i chwlwm a'i chalch,
Yn arllwys ei golud
Ar Draeth y Dyffryn
A'r ceffylau ceirt hyd eu boliau'n y dŵr,
Yn aros eu tro
I ddangos eu metel
Ar Riw'r Plas neu ripyn yr odyn.
Morwr a ffermwr,
Certmon a bosn,
Yn rhofio a rhaffo ar gered mawr
I ddal y llanw,
Y llanw a gludai'r hen lester eilwaith
I Hook a Chernyw a Chorc.
Roedd golud eu howldiau yn glasu'r glog
A melysu pawr y meysydd,
Lle'r oedd carn a chorn yn ffynnu
Am fod tân yn yr odyn,
Lle'r oedd glo mân a chlai
Yn glynu wrth glocs y baeddu,
A chynhesu'r pentanau
Drwy fflamau glas y twll stwmo,
Ac yn llosgi'n lludw gwyn
I ffrwythloni gerddi'r bythynnod.
Roedd gwres ar yr aelwyd
Am fod gwynt yn yr hwyliau
A deri ar y dŵr.
Roedd bara ar y bwrdd
Am fod cewyll dan y bwiau corcyn
Tu hwnt i Garreg y Ddafad,
A chaws
Am fod sgadan erioed yn ysgwyd y rhwydi,
A mecryll yn cynnull wrth y cannoedd
Ar dywydd tawel.

Ond pan ddôi cylch am y lloer,
A chymylau llawnion y gorllewinwynt
Yn cwrsio'i gilydd o'r Iwerddon,
Fe grychai'r môr yn grochanau mawrion,

A chwyddo a chafnu a chefnu,
Nes cwympo'n llywanen ar rimyn y graig.
Poeri a tharo a thaeru
Â'i ergydion gordd
Yng ngheudod Ogo Ddwnsh
Yn crynu'r creigiau
Dan seiliau'r tai –
Y môr tir
Yn gogrwn y graean
A threiglo meini newydd
I gegau'r beddau bach,
A thrannoeth,
Roedd llathen arall o'r Geulan
Wedi mynd am byth,
A'r dagrau'n sychu ar ruddiau'r graig
Yn llygad yr haul.

Wedi'r storm,
Roedd fy nhad wrth y llyw,
A bryniau Caersalem
Yn wyn a gwridog,
Pan giliai'r niwl.

Fe ddôi haf a'i ddyddiau hir
Heibio i Borth yr Aber,
A dwylo celyd y cynaeafau
I feddalu eu cyrn yn yr heli.
Ceirt Trelech a siarabangiau'r Tymbl a Phontyberem,
Yn stribed o Bencartws i'r traeth,
A'r Ysgolion Sul yn mabolgampio
Yn rhyddid unwaith-y-flwyddyn
Trywsusau torch, a byns a thywod –
Dydd Iau Mawr.

Llais 3 (Canu y geiriau ar alaw 'Ar lan y môr')
          Ar Ddydd Iau Mawr mewn cart a cheffyl,
          Ar Ddydd Iau Mawr mewn hwyl a helbul,
          Ar Ddydd Iau Mawr mae pawb yn tyrru
          I Borth yr Aber wrth yr heli.

Ar lan y môr mae bwyd yn ffeinach,
Ar lan y môr mae'r te'n flasusach,
Ar lan y môr mae gwraig Penpompren
Yn berwi dŵr a chrasu teisen.

Yn nŵr y môr mae swnd a chregyn,
Yn nŵr y môr mae ambell grancyn,
Yn nŵr y môr mae rhyfeddode
A bois Trelech yn nofio'r tonne.

Mae bois Trelech yn cadw twrw,
Mae bois Trelech yn yfed cwrw,
Mae bois Trelech am ddiwrnod cyfan
Yn dwyno'r dŵr a tharfu'r sgadan.

Mae sgadan ffres ar draeth y Dyffryn,
Mae sgadan ffres yn rot y dwsin,
Mae sgadan ffres a phob rhyw drysor,
Pan fo llongau'r Plas yn bwrw angor.

Ar longau'r Plas mae calch a chwlwm,
Ar longau'r Plas mae morwyr hanswm,
Ar longau'r Plas rwy'n mynd i forio,
Ac ni ddof 'nôl i Gymru eto.

Llais 1   Gwae i ni ddyfod cysgod cas
           Hitler ar draws yr atlas,
           A sŵn drwm a chyson draed,
           Yn angerdd eu hieuengwaed,
           Fel taran drwy'r cyfandir
           Yn rhuo'i storm dros y tir.

           Mwrnio'n rhad a marw'n rhwydd,
           Mynnu coelio mewn celwydd.

           A ddwg, pan fo ddrwg yr hin,
           Ryfelwyr ŷd i'r felin?

Llais 2   Pan oedd tri deg wyth
           Yn macsu storom dros y môr,
           Daeth 'Y Gwaith' i Bennar,

159

A phlannu'r Ddinas Wyntog ar y banc,
Lle'r oedd dynion yn sythu ar yr awel fain
A fu'n sychu ysgubau
Ac ystodau gwair cenhedlaeth gallach.

Chwalwyd ydlan a pherllan a ffos,
A llenwi'r llyn,
Claddu gwledig lôn,
A'r coed dan darmacadam,
A damsang oesau o hwsmonacth ddarbodus yn llaid.

Nid oedd na fedrai dyn,
Tyrchwyd y graig ei hunan
A chwythwyd callestr ei haenau'n ddwst.

Ac o'r tir glas a'r braenar,
O'r ydlannau a'r buarthau bach
Deuai confoi ceirt y fro
I'r Klondyke newydd,
A gwas ar siafft ei gart
Yn chwibanu alawon na wyddai'i fam,
Ac yntau'n gyrru'r hers i'w angladd ei hun.

Cododd pebyll y milwyr
Fel madarch uwchben Cribach
A'r perci uwch Traeth y Gwyrddon,
A chlywyd lleisiau sarsiant
Lle nad oedd gynt ond clegar gwyddau
A galw gwartheg.

Sinemâu a chytiau gwarchod,
Cabanau a meysydd martsio
Ar y glas,
Heolydd concrit a llwybrau ashffalt
Dros drefalau'r defaid,
A phalmant dros y gwys.

Daeth tabyrddau'r gynnau mawr
Yn byls i'r fro,
A llif ceiniogau'r milwyr
Yn waed newydd i'w gwythiennau.

Daeth clymau cotwm y tanio fry'n y glas
Yn gymylau newydd –
Cymylau'r storom a chwythai draw,
Er na chawsom ni ond cwt y gawod –
Diferion eirias yng ngallt Blaen-pant
Ac ar gefen yr Hafod,
Nes bod 'Nhad
Yn medru darllen papur
Ar ganol clos am dri'r bore.

Ond gwelsom ninnau'r wybren ros
Tuag Abertawe,
A'r enwau ffrâm ddu
Yn adroddiad y capel.

Llais 1   Y mae'r môr yma o hyd,
Yn ifanc, yn hen hefyd.
Heb newid na'i lid na'i lach,
Na'i rwbio ar Ben Cribach.
Na'i wên dan heulwen yr haf,
Na'i oer ru ar y garw aeaf.

Ni wrendy air gwirion dyn
Na rhoi iawndal i'r undyn,
Ac o'i fagwyr ni ŵyr neb
Droi na'i drai na'i daerineb.

Er iselhau dros ei li
Y cawodydd rocedi,
Mwy rhyfedd yw rhyfeddod
Sŵn y bae na dim sy'n bod.

Mae'r da amaethwyr diwyd
Wrthi'n trin y tir o hyd,
Yn cywain ŷd ac yn hau
Daear onest ei rynnau.

Eu preiddiau'n pori heddiw
Fel erioed hyd ael y rhiw,
A hulio maeth llaeth yn lli
A chaws o'u glân fuchesi.

Mae'r haul yr un mor olau
A'i wres yn oesol barhau,
A'r ddwy afon mor ddyfal
Ag oeddynt gynt ar eu gwâl.

Porth yr Aber a erys
Ac yno'n llon gwnawn fy llys.

Mewn Llythyr

Megis yn eithaf grym y storm y mae
Ennyd o osteg yn fyddardod mawr,
Neu'r lleuad rhwng cymylau fel petae
Yn fil disgleiriach na goleuni gwawr;
Megis y cwyd yr eog yn ei bryd
Yn uwch ei naid po ddyfna'r pwll islaw,
A dilyn drwy greigleoedd garwa'r rhyd
Ei siwrne ordeiniedig i'w phen draw;
Megis ar feysydd cad y gwelwyd holl
Eithafion dyn, ei orau a'i waethaf dall,
Mae heth a hindda y blynyddoedd coll
Yng nghiliau'r co'n dwysáu y naill y llall.
Nid oes na gwên na gwae pan ballo'r nwyd,
Na du na gwyn yn y cyffredin llwyd.

Dinefwr

Yma'n Ninefwr mae ein hynafiaeth,
Hengaer Rhys Frenin a'n gwâr sofraniaeth
Yn dew o iorwg ein hanystyriaeth
A rhawn mieri ein hanymyrraeth,
Magwyrydd magu hiraeth, – a'r hyder
Yfory a'n hadfer i'w heneidfaeth.

Glŷn yn y galon ei hen gywilydd
A'i hwyl a'i galar 'run fel â'i gilydd,
Y mae i drueni falm ei drennydd
A fynn ailennyn yr hen lawenydd,
Hen wae a hyder newydd – yn undod
Y rhod anorfod yn gylch na dderfydd.

A bydd c'weirio tant gogoniant gynnau,
Bydd eto'r nodded, bydd toi'r neuaddau,
Bydd caer dyhead, bydd cau'r adwyau,
Bydd cynnau'r tân a bydd canu'r tonau,
Yn ei bryd bydd ailbarhau – moesau'r llys,
Syberwyd Rhys biau rhod yr oesau.

I Eirian, Siôn a Guto

Y mae hiraeth nas traethir – ynom bawb,
　　Y mae baich nas rhennir,
　　Mae'r nos yn aros yn hir,
　　Ond yr haul a gostrelir.

I Gofio am B. T. Hopkins

Paham yr wylwn uwch tymp marwolaeth
Hen ŵr a welodd dymhorau helaeth?
Ai am ei golli o'r hen gwmnïaeth?
Ai oherwydd fod cerddi ei hiraeth
Yn chwifio goruchafiaeth – oes fwy gwâr?
Eiddo galar yw y fuddugoliaeth.

Cywydd Coffa Tydfor

Y mae chwerthin yn brinnach
Heno, boe, gryn dipyn bach,
Y mae poen dy gwymp ynom
A cholyn y sydyn siom,
Mae clwyfau dy angau di'n
Rhy wael i unrhyw eli.

Oet frenin gwerin dy gwm,
Oet ei heulwen ers talwm,
Oet was ac oet dywysog
Â'i lys ym mhannwl y glog,
Daw'r don at ei godre du,
Ond ti ydoedd Cwm Tydu.

Yn y düwch distewi
Wnaeth trydar dy Adar di,
Ti gynnau oet eu gwanwyn
A'u llais yn irder y llwyn,
Pa gân, a'r gaea'n y gwŷdd,
A'r gaeaf yn dragywydd?

Oet frawd fy nghyntaf frydio,
Oet drech na'm hawen bob tro,
A thrwy y sir ni thau'r sôn
Am yr odlwr amhrydlon,
Oet ŵr rwff, oet ar wahân,
Oet dyner, oet dy hunan.

Oet yn ail dy wit i neb,
Oet dderyn, oet ddihareb.
Bonheddig, ddysgedig ŵr
O'r henoes, oet werinwr,
Oet gyfaill plant y gofwy,
Oet eu mab, ac nid wyt, mwy.

Oet eon, oet galon gêl,
Oet ŵr hybarch, oet rebel,
Oet wàg mawr, oet gymeriad,
Oet wres y tŷ, oet dristâd,
Oet ddyn y grefft, oet ddawn gre',
Oet y galon, oet Gilie.

Er Cof am Carwyn James

Â'i drydanol draed unwaith – âi ar wib
　　Ddiarwybod ymaith,
　A'r un fel â'i ran filwaith
　Fu sydyn derfyn y daith.

Yn nhai dysg ofer disgwyl – y maswr,
　　Nac ym maes y Brifwyl,
　Ni ddaw o gynnar arwyl
　Amsterdam i Strade'i hwyl.

Ar yr awyr yrŵan, – yn llennyrch
　　Llên a chân ym mhobman,
　Yn Salem, a'r gêm, a'r gân
　Mae'r cof am Gymro cyfan.

Er Cof, am y Capten J. O. Davies, Ffynnonwen

Na chwrdd nac awen na chôr, – nac emyn
　　Nis cymell na Chyngor,
　Y mae bonheddwr y môr
　Â'i long wrth ddiogel angor.

Yn Angladd Tydfor

Noethlwm yn ein hiraethlef – yw'n hoedfa
    I ddwyn Tydfor adref;
    Beth sydd, yn nydd dioddef,
    I'w ddweud nas dywedodd ef?

Y mae cysgod trallod trwm – yn hollol
    Dywyllu pob rheswm,
    Y mae ein llên mwy yn llwm
    A gwae'i Adar ei godwm.

Angau dawn ac ing di-werth, – lluchio'r llwch
    Ar y llon a'r prydferth,
    Ei ddifa yn eitha'i nerth,
    Torri'i hynt ar ei hanterth.

Pa les heno gwrogaeth, – nac idiom
    Ein teyrngedau helaeth?
    Rhy hwyr bob tro yw hiraeth
    Pan ddisgyn y sydyn saeth.

Er i'r môr wisgo'i orau – er ei fwyn,
    A'r Foel ei holl liwiau,
    Nid haf sy'n dod â'r blodau
    A dyf ar gist fo ar gau.

Ni chlywir mwy uwchlaw'r môr – o riniog
    Y Gaer Wen mo'r hiwmor,
    Roedd y Gaer Ddu ger ei ddôr,
    A'r Wig a'i piau ragor.

I Gofio Llew Phillips

Idiom y pridd yn frwd ym mhob brawddeg
A'r cwpled wrth law ni chawn ychwaneg,
Na geiriau modern yn ein gramadeg –
Y Llew yn gorwedd yn Llain y Garreg,
A chwlwm fferm a choleg – yn torri,
Fore difodi ei fôr Dyfedeg.

Gofal

Yn oriau hir y gofal,
Roedd doe yn atgo tlws,
Roedd Gofal wrth y gwely
A Galar wrth y drws.

Man lle bu dau obennydd,
Heno nid oes ond un,
A Galar wedi cysgu
Lle'r oedd Gofal ar ddi-hun.

Cwtogi

Torrir gwariant trugaredd, – ond erioed
I rwysg mae digonedd,
Mae bwyell uwch llogell hedd,
Diwaelod pwrs dialedd.

Tyst

Ofer i'r lleidr ar fore'r llys – wadu'i
Weithredoedd esgeulus
Na'i dynged, canys dengys
Olion ei fai flaen ei fys.

I Ofyn am Ostyngiad yn Nhreth y Dŵr

Bwrw a wnaeth ers mis bron iawn
Ar y Cofis a'r cyfiawn;
Dw^r yn y Gogledd a'r De,
A dw^r nid blydi whare,
Y mae dŵr yng Nghwm Deri
Hyd yn oed, ddywedwn i.
(Mae hwnnw'n ddigon mynych,
Ragor, yn sobor o sych!)
A'i rhoi-hi'n drwm am gryn dro
Heb ddowt y bydd hi eto.
I deithio'r fath wlyborwch
Nid car sydd eisiau, ond cwch.

Yna am naw, a mi'n hel
Mamogiaid, hyd fy mogel
Yn y dŵr, wele ddoe'n dod
Order gan eich awdurdod;
Gorchymyn, nid gofuned,
Mewn inc coch, yn mynnu ced
Na haedda gan Fedyddiwr
O Gardi am ddefni o ddŵr!
Ta beth yw'r dreth, mae'n dra od,
Mae'n annormal, mae'n ormod.

Ac i wneud y drwg yn waeth –
Y ffws am ryw garthffosiaeth!

Mantais twll mewn dwy styllen
Yw ei bod yn rhad dros ben,
A thŷ sinc ar waetha'i sent –
Hen-ffasiwn ond effisient.

Dwli i neb yw dal y nant
I allforio'i llifeiriant
Draw i Loeger, bellter byd,
Sy ym moethau'i hesmwythyd,
A moyn o bris, ie myn brain,
Hanner ein pris ni'n hunain.

168

A chwi'n eich menni mynych
Yn hel sgwrs yn eich plas gwych.

Os yw'n iawn i Hasaan hen
Elwa ar olew yr heulwen
Yn Kuwait, pwy all nacáu
I mi olew'r cymylau?

Y mae perygl i Wigley
Yn dorf gael y wlad o'i du –
Cofiwch ffwdan y Sianel,
Ufuddhewch i Ddafydd Êl,
Gallai Sais o bleidleisiwr
Ildio a dod i Blaid y Dŵr.

Felly, er dim, rhaid imi
Ofyn – eich gorchymyn chi
I wneud, cyn yr elo'n hwyr,
Seis hwn yn nes i synnwyr.

Y Garddwr Diog

Fe drôi ef dir ei ofal, – hyd yn oed
    Yn Eden, yn anial.
    Trwy'r dydd byddai'n treio dal
    Efa, i ddiawl â'r afal.

Cywydd Teyrnged i W. R. Evans

Doed y gŵr fu'n dad y gân
I'w fawrhau'n ei fro'i hunan,
A bryniau bro ei eni
Yn clywed nerth ein clod ni
I'r gŵr na fu'i ragorach,
A lanwai lên â'i hwyl iach.

Yn aflwydd dyddiau diflas
Hanes glew fu i'r wisg las,
Llywiwr cerdd y gyngerdd gynt
A'n haul yn nyddiau'r helynt,
Twll o le oedd y cread,
Ond rhywfodd fe lonnodd wlad.

Yn eu dydd trindod oeddynt,
Diwahân yn y gân gynt,
Tair awel o'r Tir Hela,
Tair alaw hoff, tri haul ha',
Truan ddydd, aeth y tri'n ddau
A'r ddeuddyn yn un gynnau.

I Fwlch-y-groes rhoes ei fryd,
Ei ofal a'i enw hefyd,
A chreu yno do sy'n dal
Yn wyrda yn eu hardal.
Pa fodd y dibrisiodd bro
Ei phlentyn ei hun yno?

Llond rŵm mewn llên a drama,
Man y daw mae cwmni da,
A'i rugl lefaru hyglyw'n
Llond ceg o'r Ddyfedeg fyw,
Haen o Lynseithmaen yn siŵr,
Ebrwydd wit y Barddotwr.

Daeth i dalar yr arad,
Hir a fo'n awr ei fwynhad
Yn haeddiannol hamddena
Yn nyddiau aur diwedd ha'.
Yn Felinfoel eu nef hwy
Fo i hwn a'i Fyfanwy.

Er Cof am y Capten Jac Alun

Rhag llid y storom ddidor, – yn anterth
    Corwyntoedd y culfor,
    Y llong a gyll ei hangor –
    Mae ar drugaredd y môr.

Galar ni ad ymgeledd, – y galar
    Sy'n galw'n ddiddiwedd,
    Na rennwch farn uwch ei fedd,
    Tewi yw'r gorau trugaredd.

Ei iach gyfarch a gofiaf, – a'i 'Helô'
    Ar y lein tra byddaf,
    Ac i'r nos, cario a wnaf
    Lwyth ei 'Hwyl' y waith olaf.

Tomi Aberbanc

Ebolion 'nhaid o'm blaen i, – a rhai 'nhad,
    Eu trin wnaeth 'rhen Domi,
    Ac yn awr i'n hogyn ni
    Daw â'i hwyl i bedoli.

Cryman

Mae wrthi eto heddiw
A'i gryman yn glanhau
Y llwybr i Gwm yr Esger
Oedd wedi hen, hen gau.
Mae'r Clwb Cerddeta yma'n dreth,
Fe fyn ei hawliau ym mhob peth.

Mae fel myfi yn cofio
Ei gerdded lawer gwaith
Pan na chaem gwrdd â chryman,
Na chalen hogi chwaith
Ers llawer dydd, ond nid oedd drain
Yn tyfu man lle cerddai Nain.

Gwaith

Mae i ymdrech ei hiechyd, – i ymlâdd
   Mae ei lwyddiant hefyd,
   Mae i orchwyl hwyl o hyd,
   Mae i waith ei esmwythyd.

Drws

Oni fedd ei allwedd o, – y dieithr
   Nid yw yn mynd drwyddo,
   Ond egyr heb ei guro
   I siriol lais rhyw 'Helô'.

Llangollen

Nid o lid y daw melodedd, – nid dwrn
   Sy'n trin tant perseinedd.
   A wna fiwsig â'i fysedd
   Ni ddwg ei law ynddi gledd.

I Aneurin Jones, Aberteifi

(i ddiolch am fedwen arian yn anrheg ar ein priodas arian)

Gyda'r goeden fedwen fain
Anrhegaist bump ar hugain.
Eidea hyfryd awen –
Y syniad bardd sy'n dy ben.
Ti erioed nid est ar ôl
Y syniad confensiynol,
Unigoliaeth y galon
Yw'r un gwerth sy werth y sôn.

Cywydd Diolch

Ar war ein huniad arian
Awchus wyf i gyfarch Siân,
Am gyd-roi, am gadw'r hedd
Â minnau mewn amynedd.

Am wnio, am gymhennu,
Lleihau'r tacs a llywio'r tŷ,
Am fwydo'r gath, am fedr gwau,
Am oddef fy nghamweddau.

Am wrando, wrth rodio'r iard,
Ar rwtsh prydyddol Richard,
Am gau'r ieir, am gario'r olch,
Mae'n dda i minnau ddiolch.

Eiddew

Y mae, wrth droed y goeden, – yr eiddew'n
Yr un pridd â'r fesen,
Oddi ar pan oedd y dderwen
Yn ddeiliach bach, mae ar ben.

Cywydd Croeso i Sasiwn y De i Flaenannerch

Pan ddaw'r egin leni'n las,
A Mai'n gwneud ei gymwynas,
Bydd, ar grefydd sydd â'i serch,
Â'i annel at Flaenannerch,
I fawrhau, o demlau'r De,
Gewri'r Gair ar eu gore.
Deled gwlad i aelwyd gwledd
I rannu'r hen wirionedd.

Pwy a ŵyr na ddaw i'r paith
Yr awelon yr eilwaith,
A chynnau y wreichionen
A ddwg y mwg yn fflam wen?
Lle'r aeth un arall allan
Onid hawdd yw cynnau tân?

Mae croeso'n ein bro o'r bron
Yn dod o waelod calon,
Ardal wledig ford-lydan
Sy'n dal i gynnal y gân,
A fyn, doed dieithryn i de,
Gyrraedd ei llestri gore.

Mae gras yn dwym ei groeso
I bawb pwy bynnag y bo.
Bydd yma ddôr agored
Yn enw Crist a Duw'n cred
I chwi pan fo ceirch a haidd
Caeau Mai'n eciwmenaidd.

Er Cof am Austin James, Morawel, Blaen-porth

Y gorau o gymdogion, – garw'i air
    Ond gŵr hael ei galon,
  Yn ei swae yn rhoi'n ddi-sôn,
  A hynny ar ei union.

Cymydog y cae medi – helyntus,
    A'r plant arno'n ffoli,
  Croyw'i farn, ond os cryf hi,
  Diddannod ei ddaioni.

Pwy ŵyr ddyfnder pryderon – y dioddef
    Yn y dyddiau duon?
  A'r chwilio taer uwchlaw ton
  Ei ofid wrth yr afon.

Clawr cist sy'n celu'r cystudd, – ar dalar
    Dwylath o fedd newydd,
  Mwy yn ei ro y mae'n rhydd
  O'i boenau diobennydd.

Llawenydd

Pabell unnos ydyw pob llawenydd,
Dyfod anorfod rhyw siom a'i gorfydd,
Fe dry y rhod ac fe dau'r ehedydd,
Pob gwaith dry'n ddiffaith, pob fflam a ddiffydd;
Ond er gwae, yn dragywydd – daw heb ball
Ryw wên anneall o hyd o'r newydd.

Munud

Heb arhosach na brysio, – yn y ras
    Daw bys yr awr heibio,
  Ond ar y trac, rownd i'r tro,
  Y mae bys am ei basio.

Ar Ymddeoliad Wncwl Wyn

Haeddiannol yw hamddena – ar dalar
    Deilwng y gwys ola,
O wneud unwaith dalcwaith da
Gillwn mewn pryd sy galla.

Cyn i'r gofal droi'n galed, – ac i raen
    Y grefft droi'n gaethiwed,
Cyn y daw'r awr yr ehed
Y llwyddiant a throi'n lludded.

Fe wyddoch nad yw cochyn – yn enwog
    Am amynedd ronyn,
A'r boe byrra'i babwyryn
O'r cwbwl yw Wncwl Wyn.

Diau fod oriau hiraeth – aflonydd
    O'i flaen yn yr arfaeth,
Ond aeth heibio'r cwrsio caeth –
Llonydded mewn llenyddiaeth.

Caffed, yn ei ardd Eden, – fyw yn hir
    I fwynhau ei hamdden
Yn bowlio ambell belen,
'Rhen gôr, a llyfr, neu greu llên.

Gwrando'r Gair a nodau'r gân, – ar y Sul
    Rhoi i'w swydd ei gyfran,
Rhoi o'i lafur i lwyfan,
I ddyn neu Dduw'n ddiwahân.

Boed alaw ar yr awel, – boed i'w byd
    Ei Ha' Bach Mihangel,
Yntau'n un ag Anti Nel,
Hydrefed wedi'r drafel.

Iorwg

Tw ir y difaterwch, – yn breuhau'r
   Hen bren â'i eiddilwch,
   Tynhau ei dendriliau'n drwch,
   Gan ei dagu'n ei degwch.

Rhubanau ir y bonyn, – a glasdwf
   Esgeulustod rhywun,
   Dolennau dail yn we dynn,
   A chnaif harddwch hen furddun.

Teyrngarwch

I ben y lôn yn fy nanfon o hyd,
Yna ni chilia tan fy nychwelyd,
Ar waethaf cerydd yn ufudd cyfyd,
A chan wylo'i chnul i'w chwe anwylyd
A'i gwâl yn wag, glŷn o hyd, – gan redeg
Am y gwartheg, ac nid byth y'm gwrthyd.

Llidiart

   Y llidiart wedi'i hagor
   A'r pridd yn gefen coch,
   A'r angladd wedi'i drefnu
   Ar gyfer dau o'r gloch.

   I lawr yng Nghae Tanfynwent
   A hithau'n dymor hau,
   Mae'r cefen ar ei hanner
   A'r llidiart wedi'i chau.

Galarnad

Trwy bennod ein trybini – gwn y'n dwg
   Ni'n dau ryw dosturi
  Yn y man, ond mwy i mi
  Glyn galar fydd Glangwili.

Mae'n galar am ein gilydd, – am weled
   Cymylu o'r wawr newydd,
  Galar dau am gilio o'r dydd,
  A galar am gywilydd.

Dygwyd ein Esyllt egwan, – man na chaiff
   Mwy na chôl na chusan,
  Beth sy'n fwy trist na Thristan
  Yn ceisio cysuro Siân?

Ei hanaf yn ei hwyneb, – yn gystudd
   O gwestiwn di-ateb,
  Ac yn ei chri i ni, er neb,
  Anwylder dibynoldeb.

Nef ac anaf fu'i geni, – caredig
   Gur ydoedd ei cholli,
  A didostur dosturi
  Ei diwedd diddiwedd hi.

Amdo wen fel madonna, – yn storom
   Y distawrwydd eitha,
  Ar ei bron cenhadon ha',
  A'i grudd oer fel gardd eira.

O dan y blodau heno – mae hen rym
   Mwyn yr haf yn gweithio,
  A chysur yn blaguro
  Lle mae'i lludw'n cadw'r co'.

Yn nagrau'r gwlith bydd hithau – yn yr haul
   Wedi'r elom ninnau,
  Yma'n y pridd mwy'n parhau,
  A'i blawd yn harddu'r blodau.

Nid yw yfory yn difa hiraeth,
Nac ymwroli'n nacáu marwolaeth,
Fe ddeil pangfeydd ei alaeth – tra bo co',
Ei dawn i wylo yw gwerth dynoliaeth.

Yn Angladd Gerwyn

Yr hwyl a'r llawer helynt – a beidiodd,
  Mae'r byd yn wag hebddynt,
  Yn y gân roedd pedwar gynt –
  Y tro hwn tri ohonynt.

Claf heddiw llaw celfyddyd, – ar ddweud pert
  Rhoddwyd pall disyfyd,
  Tau'r gân a'i melystra i gyd
  Os yw'r saer is ei weryd.

Coffâd

Hir yw galar i gilio, – ac araf
  Yw hen gur i fendio,
  Am un annwyl mae'r wylo'n
  Ddafnau cudd o fewn y co'.

Atgofion

Ai ddoe ai echddoe oedd hi,
Ai yng ngwanwyn fy ngeni?
Roedd yno gerdd yn y gwynt
A gwern â chogau arnynt.
Roedd heulwen y bore'n bêr
Yn yr Eden ddibryder,
A hud y gwaharddedig
Yn her barhaus ar ei brig.

Nid oedd nos i'n dyddiau ni
Yn nhymhorau ein miri.
Drwm y gad oedd strem y gwynt,
Cerddi cawraidd y corwynt.
Chwarae'n haul diddychryn ha'
A chwarae'n y lluwch eira.

Ond roedd distaw su'r gawod
Draw'n y dail drwy'r deri'n dod
Yn ddigymell ambell waith,
Nes dôi'r haul drosti'r eilwaith
A bwa'r arch dibarhad
I'w hymylu am eiliad.

Ond mae heddiw'n friw'n y fron
Hen gywilydd y galon.
Gŵyr y lindys greulondeb
Y llafn main na welai neb
Yn well nag asgell esgud
Iâr fach yr haf uwch yr ŷd.
Y mae o hyd ar fy moch
Wae'r atgo'r un mor writgoch.

Mae hen ffolineb mebyd
A'i fai'n fyw ynof o hyd,
Ond os darfu'i bechu bach,
Ymhle mae ei hwyl mwyach?
Law yn llaw i ble mae llanc
Dyheu doe wedi dianc,
Na ddôi'i Eden freuddwydiol
A'i chogau'n iach i'w go'n ôl.

Y Cilie

(Ar garreg fedd Jeremiah Jones, tad y llwyth, torrwyd y geiriau, Gof, Amaethwr, Bardd.)

Oherwydd dod o'r gof i gynnau tân
A thasgu o'r gwreichion byw o'i eingion ef,
Fe gydiwyd harn wrth harn yn ddiwahân
Yn sicr dreftadaeth ei ddeheulaw gref.
Oherwydd i'r amaethwr droedio'r tir
A'i bâr ceffylau'n medi, trin a hau,
Mae'r Foel a Pharc y Bariwns eto'n ir
A'i waddol yn y ddaear yn parhau.
Oherwydd wylo o'r bardd uwch tynged dyn
A chawraidd chwerthin uwch rhyfeddod gair
Neu dorri strôc, mae'r gân a'r gelf yn un,
Y mae i arwyl ing, a hwyl i ffair.
Mae'r Cilie'n Gymru, a Chymru'n Gilie i gyd,
A thrai a llanw'r ddwy yw cwrs y byd.

Ar Ymddeoliad y Dr Emrys Evans

I fyd oer trafod arian – y rhannodd
          Ei warineb llydan,
     Un enaid â dwy anian,
     A'r ddwy wedd mor ddiwahân.

Rhoi o'i gyngor rhag angen – i'n Henwyl,
          A'i wasanaeth hirben,
     Deuwell yw cyllid awen,
     A diogel llogell llên.

Emrys y Llys a'r lleisio, – ac Emrys
          Camra'r banc sy'n gwrando,
     Yr Emrys trefnus bob tro,
     Ac Emrys Evans Gymro.

Ar Ymddeoliad y Parch. D. Hughes Jones

Daeth hwsmon y gwirionedd – i dalar
    Deilwng deugain mlynedd,
  A daeth, wrth ddatod y wedd,
  Gwas Duw â'i gwys i'w diwedd.

Bydd gwaith ei ddwylo'n tonni – yn oesol
    Ym meysydd ei egni,
  Ar ei ôl mae yn y tri
  Gnwd aur ei genadwri.

Ei weddi'n argyhoeddiad, – a'i bregeth
    Yn brigo'n ei siarad,
  Ei chwerthin yn ordinhad,
  A'i ddwli yn addoliad.

Mae'r awen yn ei enaid, – a byw weld
    Y bardd yn ei lygaid,
  Ac yn ei wên ryw hen raid
  I rannu baich trueiniaid.

Ond er dod awr y didol, – a dod oed
    Diwedydd haeddiannol,
  Nid yw ef a fu'n hau dôl
  Ei Dduw fyth yn ymddeol.

Papur Bro

Eich manion chwi a minnau – yw deunydd
    Dinod ei golofnau,
  Eto'i nerth yw ein tynhau'n
  Ein dibwys ddiddordebau.

Wynebau

Mae wyneb arall i'r wedd a feddaf,
Yr hwn na welodd fy rhai anwylaf –
Wyneb fy meiau a'm hofnau dyfnaf
Sy'n fy ngoddiwes, ac nas cyffesaf;
Yn y drych pan edrychaf – nid yw'r drwg
Yn y golwg, ond myfi a'i gwelaf.

Eiliad

Hwnt i ryw ffin nad oes mo'i diffinio
Mae dechrau'n ddarfod, a bod yn beidio.
Hen ydoedd heddiw yng nghrud ei ddyddio,
Yn ddiarwybod yn ddoe'r â heibio.
Mae'n barhaus, y mae'n brysio – yr un pryd,
Mae oesau'r byd yn yr ennyd honno.

Daear

Ddoe yr aeth gwennol ofod
I ffwrdd ar gefn ei mwy,
Ac arddwr yn troi'r gwndwn
Yn gweld eu myned hwy,
Ond ni sylwodd y teledydd
Ar y fwyaf gwyrth o'r ddwy.

Heddiw mae'r wennol ofod
Mewn hangar wedi'i rhoi,
A'r egin eto'n glasu
Lle bu'r arddwr yn ymroi;
Y sawl sy'n trin y ddaear
Sy'n cadw'r byd i droi.

Miserere

Na'm gofid mae gofid gwaeth – mi a wn,
    Ym mynwes dynoliaeth,
    Ond nid yw lon galon gaeth
    Am un arall mewn hiraeth.

Mae gwaeth llwyth ar dylwyth dyn – i'w wanhau,
    Na'm un i o dipyn,
    Mae rhyw wae mwy ar rywun
    Ond chwerwaf ing f'ing fy hun.

Llidiog gymylau llwydion – yn un cylch
    Yn cau eu pryderon,
    A'u gwasgu du'n don ar don
    Yn trymhau'r twr amheuon.

Aeth hwyl pob gorchwyl dros go', – nid yw byw'n
    Ddim byd ond mynd drwyddo,
    Wedi'r haf daw gaeaf dro,
    I beth yr wy'n gobeithio?

Mor agos yw'r nos yn awr, – a byw gŵn
    Ei bwganod enfawr
    Yn hela gweiniaid dulawr,
    Mor bell yw llinell y wawr.

Pa les cwmnïaeth wresog, – na geiriau
    Cyfeillgarwch oriog?
    Ni ŵyr neb na Thir na n-Og
    Na gwae mud ei gymydog.

Diau bydd tywydd tawel, – a gwanwyn
    Gwynnach wedi'r oerfel,
    Eithr y galon hon ni wêl
    Y graig aur ar y gorwel.

Ymlaen, er na wn ymhle, – mae gemog
    Gwmwl hardd ei odre,
    Uwch y niwl a düwch ne,
    Darn o'r haul draw yn rhywle.

Capel Gwag

Mae drysi'r angof ar feddau'r gofal
A llawr y fendith yn lle i'r fandal,
Annedd y ddefod a'r weddi ddyfal
Yn brae y datod a'i bry diatal,
Ond er gwarth ei bedair gwal, – mae rhyw raid
Yn nwfn yr enaid i fyw'n yr anial.

Ar y Pumed o Dachwedd

'Waeth faint o goelcerthi fydd – i goffâu
Guy Fawkes, y mae beunydd
Â Chalangaea'n y gwŷdd,
Well tân gwyllt yn y gelltydd.

Diolch

Os cododd ein cyfnod prin ei rinwedd
Y Brenin Arswyd bron iawn i'r orsedd,
Os yw yn dewis yn sŵn y diwedd
Fwrw ei fara ar ryw oferedd,
Diolch fod hyn o duedd – fyth ynom;
I garu ohonom y gwirionedd.

Fy Aelwyd

Mae cyffroadau fy myw cyffredin
A chno ei ofid yn ei chynefin,
A'r hen alaru na wêl y werin.
Mae'n faich o warth ac mae'n nef o chwerthin,
Ond gwên neu wae mae i mi'n – Dir na n-Og,
O fewn fy rhiniog rwyf finnau'n frenin.

Epigramau

Nid yw ym Mai'n mynd ymhell
Na'th eidion na'th ddiadell.

Mae alaw pan ddistawo
Yn mynnu canu'n y co'.

Credu na wneir un arall
Yw'r olaf a'r gwaethaf gwall.

Byr iawn yw'r rhaff, bron yr un
Yw athrylith â'r iolyn.

Mae cryman allan o waith
I'r dim yn rhydu ymaith.

Cyfaill

Mae fy ngobeithion yn rhan ohonot,
Mae fy nioddef a'm hofnau'n eiddot,
Yn d'oriau euraid, fy malchder erot,
Yn d'oriau isel, fy ngweddi drosot,
Mae'n well byd y man lle bôt, – mae deunydd
Fy holl lawenydd, fy nghyfaill, ynot.

Machlud uwch Cae Ŷd

Pen Llŷn yn agos, a hi ar nosi,
A'r 'polion' gwelwon am law'n argoeli,
Y cnwd Aramir drwy'r tir yn torri
Yn llwybrau i gyd man lle bu'r ogedi
Yn hud y machlud, a mi – i'w libart
Yn tremio o lidiart yr amal oedi.

Yr Eisteddfod Genedlaethol

Mae i wlad ei melodedd, – ac i iaith
    Ac i gelf orfoledd,
    Mae i ŵyl ei gwin a'i medd,
    Mae i werin ei mawredd.

Ieithoedd

Yn iaith y Sais, fe sylwais i, – os oes
    Eisiau ei faldodi
    Bydd pobol yn canmol ci –
    Yn Gymraeg mae ei regi.

Cinio Cawl Cennin

Hwyrbryd gorau bord gwerin, – ac ir faeth
    I gryfhau ein rhuddin,
    Da i mi rhag oerni'r hin
    Yw cael cinio cawl cennin.

Malwoden

Bytodd o'r swêds dair biwti, – a bytodd
    Y betys a'r persli,
    Byta'r cêl, byta'r coli –
    Taw'n i'n Nantes, fe'i bytwn hi.

Tŷ Bach

Ni bu neb heb ei nabod, – sêt hwylus
    At alwad anorfod,
    Beunydd i bawb, bu'n dda bod
    Tŷ Bach i gwato'i bechod.

Parc yr Arfau

Daear hud yw'r erw hon,
Cartre cewri'r tair coron.
Lawntre werdd gan olion traed
Ac ehofndra'u hysgafndraed.

Cae irlas y tîm sgarlad
A ffiol hwyl hoff y wlad,
Lle mae'r anthem a'r emyn,
Gwaedd 'Hwrê!' a gweddi'r un.
Meca'r gêm yw cyrrau gwyrdd
Stadiwm y llawr gwastadwyrdd.

Daear werdd wedi'i hirhau
Â gwlith buddugoliaethau,
Nas gwywa naws y gaeaf
Na'i hirder yn nhrymder haf.
Aitsh wen ar ddeupen y ddôl
A chennin ar ei chanol,
A chwerwedd llawer chwarae
Yn fyw'n y cof yn y cae.

Moled un wlad ei milwyr
A dewrion doe â'r dwrn dur
Yn dwgyd trefedigaeth
Rhyw ddiniwed giwed gaeth,
Ac arall rin ei gwirod –
Pan fo gwerin Dewi'n dod
Mân us yw pob dim a wnaeth
Ym mrwydrau'i hymerodraeth,
Yma'n y gwynt mae hen go',
A hen sgôr eisiau'i sgwario.

Ow'r ias, pan welir isod
O'r twnel dirgel yn dod
Grysau coch i groeso cân
Hanes hysbys y sosban,
Ac arianfin gôr enfawr
Yn wal am faes y Slam Fawr.

Y mae'r gân sy'n twymo'r gwaed
Yn ein huno'n ein henwaed,
A chytgan y cylch hetgoch
Yn werth cais i'r rhithiau coch.

Byr gord gan y pibiwr gwyn
A phêl uchel i gychwyn,
Ac ar un naid mae'n gwŷr ni
Fel un dyn ddaw odani.
Wyth danllyd ddraig, wyth graig gre'
Nas syfl un dim o'u safle –
A nerth eu gwth yn darth gwyn
O'u mysg yn cyflym esgyn –
Eisiau'r bêl i'r maswr bach
Na bu oenig buanach,
Oni red fel llucheden
Yr asgell i'r llinell wen.

Ond ow'r boen – mae meistr y bib
Yn ein herbyn â'i hirbib!
A'i ateb – cic, myn cebyst,
Yn enw pawb, dan ein pyst!
O Dduw, y Sais di-ddeall!
O, iolyn dwl, ow'r clown dall!

Y ddwystand fawr yn ddistaw
Ac ar deras diflas daw,
Nes tyr yr agos drosiad
Yn si hir, ddwys o ryddhad.

Oerfawrth ar Barc yr Arfau –
Sawlgwaith bu i'r 'heniaith barhau'.
Rhwydd y cariodd y cewri,
Curo Ffrainc a'r refferî.
Mae'u henwog gamp mwy'n y co',
A'r nawn 'yr own i yno'.

I Gyfarch T. Llew Jones mewn Ysbyty wedi Damwain

Ti'r Llew hoff, wyt ar wellhad
Hyfryd fore d'adferiad.
Ti'r dewin iaith, tyrd yn ôl
O bawb, i blith dy bobol.
Ti yw *guru* Pontgarreg,
Ti yw haul y llecyn teg,
Llew, y mae'r lle oll mor llwm,
Trist i gyd ers dy godwm.

Ti yn seiad nos Sadwrn
Yw'r ffagl sy'n gwresogi'r ffwrn,
Ti yw hwyl pob pobiad da –
Y berem yn y bara,
Ti sy'n meithrin tylino,
Ti yw'r toes a'i surdoes o,
A thi yw ffwrn moethau ffres
Torthau can y tarth cynnes.

Ti'n awr yw cawr y cworwm,
Yr haul sy'n goleuo'r rŵm,
Ti yw iaith ein hafiaith ni,
Ti sy'n tywys ein tewi,
Ti yw llif ein digrifa,
Ti yn dy sêt a'n dwysâ.
Ti yw bothe ein deall
A doethor pob cyngor call.
Ti yw'n canllaw'n yr awen,
Ti yw ein llyw hyd ffyrdd llên.

Os bu dy ais yn gleisiau
Fe wn dy fod yn cryfhau
O ddydd i ddydd yn ddi-os,
Mae rhyw wrid i'r marwydos.
Allan fe ddôi yn holliach
O'th grogi wrth bwli bach.

Os bu trist suon distaw
Yn dy roi di'r ochor draw,

190

Eilwaith fe ddôi, Lewelyn,
O ysbyty'r gwely gwyn
A'i ddiollwng lein ddillad,
A'r meini trwm yn y tra'd.

Dy Renault wedi'r anap
Heddiw sy'n grugyn o sgrap,
Ofnadwy ei drefn ydyw,
Mae'n syndod dy fod ti'n fyw;
Dod allan o'r fath lanast –
Mae'n wyrth, o'r fath domen wast.

Ond fe gei di gar arall,
Un llawn mor fuan â'r llall.
Yr Edwin ddewin a ddaw
A'i ddiwaelod ddeheulaw,
Gwaith prynhawn i ddawn ddi-au
Y gŵr cestiog yw'r costiau.

Dy weld yn ôl yn Nôl-nant
Imi heno fâi mwyniant,
Tyred, Llew, a ni'n tewi,
Tyrd yn glau, mae d'eisiau di.

Cerdd Bôs

Yr oedd y mur wedi ei wreiddio am oes, a'i seiliau
i lawr ymhell islaw y wal arall, a giât o goed wedi
ei hongian gan ryw enaid ango i atal y cŵn rhag talu
ceiniog yn y pâm pys, a phwsi drws nesa rhag gwneud
carthffos dros nos yn y fan y safai wynwns ifanc.
    Wele, am ddeg Wiliam a ddaeth, ac yn llawn gwin
llawenydd, wrtho'i hun i areithio yno.
    'Wel,' meddai ef, 'I be mae'r wal 'ma dda?' A
heb ddowt byddai hi wedi ateb, onibai ei fod ef yn ei
bop, ac ni sylwodd Wil, canys wal oedd hi.

Buwch Wasod

Rwy'n clywed rhyw drwmped draw
Ar awelon yr alaw,
Rhyw fref uwch adfref drwy'r fro
Yn ddi-nag heddiw'n ego.
Seren yn siŵr yno sydd
Yn galw yn ddigywilydd
Ar ryw gymar, i'w gymell
Ati i'r parc o'r tir pell –
Rhyw gornsyth darw Guernsey
Neu ryw dalp o Gymro du
Yn *rosette* goch drosto i gyd
Yn ôl o'r sioe'n dychwelyd,
Neu rhyw benwyn rhubanog,
Neu Charolais sy ar log,
Neu rhyw ych o bedigrî
Du a gwyn i'w digoni.

Digysur mae'n cylchu'r cae
Ar gyrch i brofi'r gwarchae.
Heb falio'r drain mileinig
Na dwy haen y gwifrau dig.
A all cyll wrthsefyll serch
Ac irddail nwydau gordderch?

Galw yn awr ac eilwaith
A'i llys yn edefyn llaith
Hyd ei gar yn rhwyd arian,
A gwe wlith hyd ei chefn glân.
Topi, a chrwydro tipyn,
A phori wrthi ei hun,
Yna rhoi cwrs i'r cyhudd
A charu ei chwiorydd.

Gwae iddi ei gwahoddiad,
Mwy'n ei hoes nid oes mwynhad,
Na'r un tarw naturiol
A roesai râs ar ei hôl.

Y mae darpariaeth mwyach
I'w digoni'n Felinfach,
Heddiw'n hawdd fel na ddaw'n ôl
Ei niwsens tair-wythnosol.

I Gyfarch Mr a Mrs Edwin Jones

(Maer a Maeres Llambed)

I'r Maer boed heno'r mawredd, – i haeddiant
    Ei swydd bo'n hedmygedd,
  Doed y wlad i gyd i'w wledd,
  I Edwin bo'r anrhydedd.

Ac i Feryl ei deg Faeres, – erchwn
    Ein cyfarchion cynnes,
  Heb law ar y ffrwyn, ba les?
  Ba ddaioni heb ddynes?

Gŵr yw ef wna'i waith â graen, – o sylwedd,
    A solet ei sylfaen,
  Cadwrus, nid llanc diraen,
  Gŵr â'r *chest* i gario'r tshaen.

Hi yw'r Efa gartrefol, – a'i harddwch
    Yw urddas naturiol,
  Gwraig gymen, lawen, heb lol,
  Dynes stedi'n wastadol.

Yn nyrys waith insiwrin, – ac i lwydd
    Eich Gŵyl Awst, mae'n frenin,
  Rhown ein hyder yn Edwin
  Heb erioed ei gael yn brin.

Hi yw'r faeres a'r forwm, – llaw dde llwydd,
    Y llyw a'r cloc larwm,
  Hi'n ei warchod rhag codwm
  Yw *better half* y boe trwm.

Pob llwydd i'w dyletswyddau, – a manion
    Eu mynych alwadau,
  Pob bendith i'r dref hithau,
  Mawr dda ar dymor y ddau.

Ar Briodas Arian Iwan a Beryl

Chwarter canrif fel rhifo – a wibiodd
   Yn un stribed heibio,
   Y mae tannau mud heno
   Yn canu cainc yn y co'.

Ai echdoe ai ddoe oedd hi, – y deuent
   Eu dau i'w priodi?
   Hwythau a ninnau'n heini
   A heulwen oes o'n blaen ni.

Oriau yr hwyl a'r hiraeth, – y disgord
   Ysgawn a'r ganiadaeth,
   Y ffrae wyllt a'r ateb ffraeth
   Yn tynhau'r hen bartneriaeth.

Ein gobaith i gyd weithian – yw i'r hynt
   Fod iddynt yn ddiddan –
   Y daw'r aur wedi'r arian
   I Rydygaer, crud y gân.

'Yn Eisiau, Gwraig'

Rwy' am gymar fyddar, fud, – wen, fwyn, ddoeth,
   Fain, ddethe, hardd, ddiwyd.
   Os ca'i un yn brês i gyd
   Mi af â'i mam hi hefyd.

Rhwyg

Nid yw'r diddig ei drigias – i'w weled
   A'i bilyn yn ddiflas,
   Lle bo'r wisg yn dyllau bras,
   Brau yw edau'r briodas.

Sgwrs rhwng Gŵr a'i Gofgolofn

Y Gŵr: Salw iawn yw dy weld ar slent,
                Ti, o holl feini'r fynwent.

Y Gofgolofn: Cynhaeaf y gaeafau,
                Y mae'r hin yn fy mreuhau.

Ef: Mae'r gilt disgleirdrwm a'r gwaith
                Llythrennu fu'n llathr unwaith?

Hi: Aeth o go' dy glod fel gwlith
                A threuliodd dy athrylith.

Ef: Oni fu o gylch dy fôn
                Racanu'r cerrig gwynion?

Hi: Uwch dy wâl bu gofal gwych
                Ennyd, a dagrau mynych.

Ef: Onid oes i'th weld yn dod
                Undyn ar bererindod?

Hi: Rhy dawel yw, ar dy lwch
                Fe dyf tw'r difaterwch.

Johnny Owen

Rhy fain i gario'i fenig, – ond un gwydn
        Yn gwbl ymroddedig,
    Mae heno dan ddyrnod ddig
    Ymron marw'n Amerig.

Sgwrs rhwng Ffermwr ac Arwerthwr

Ff.   Rwy'n credu fod gennyf gwyn
       Ac achos teg i achwyn –
       Yr anner honno a brynais
       Yn sêl rhyw geglyn o Sais –
       Chi'n ei chychwyn yn chwechant
       Nes aeth ei gwerth yn saith gant;
       Digon ni cheid, er dygyd,
       O la'th i'r gath ganddi i gyd.

A.   Ie'n wir, rhyfedd yw'r drafael,
       Mae lwc ac anlwc i'w cael,
       A thebyg i'w gily', gwn,
       Ydyw y dyn â'i lwdwn,
       Anodd dweud ai nwyddau da
       Ŷnt, ar yr olwg gynta'.

Ff.   Fore Llun y brefai'r llo,
       Nid oedd dim diod iddo;
       Nos Fawrth fe ffoniais y fet –
       Hi ag argoel y garget,
       A'r nos Iau aeth, draw'n y sied,
       Hi a'i hepil i'w haped.

A.   Mae'n loes i'm calon onest
       Glywed am y golled gest,
       Amledd fy nghydymdeimlad
       Sy atat ti'n dy dristâd,
       Mewn hen dwll rŷm mwy ein dau –
       Waeth nôl daeth dy siec dithau.

Ateb i Honiad y *Western Mail* fy mod wedi Gadael yr Orsedd

Mae cyhoeddi'r gwir heb gêl – yn bopeth
    I bapur aruchel,
     Eithr y mae'n job ar cythrel,
     Yn straen mawr i'r *Western Mail*.

Canmlwyddiant Ysgol Glynarthen

Yn y Glyn mae ysgol lwyd
Yn gadarn ddoe a godwyd,
Lle bu canrif o rifo
Yn nesgiau brwd addysg bro,
A darllen a sgrifennu
Yn ddi-fwlch o'r dyddiau fu.

Mae ôl llaw ei hathrawon
Yn dal yn yr ardal hon,
A'r hwyl a llawer helynt
Ar gof o'r hen amser gynt,
Ac abledd ei disgyblion
Yn codi bri gwlad o'r bron.

Y dyfal J. O. Davies
Fu ar ei chae'n fawr ei chwys
Ac athro Marffo am oes
Yn rhannu llafur einioes,
A'r sgwlyn coes gorcyn gynt –
Yn eu dydd duwiau oeddynt.

Da ei gwaith oedd May'r Allt-goch
A roes ei gofal drosoch,
Ac ar ei hôl Hettie Pen-graig –
I'r tair 'R' dwy oreuwraig,
Nes oesodd Misus Isaac,
Hithau'n grêt, nid fyth yn grac.

Aelwyd ein hwyl wedi nos
Oedd hi yn oerni'r hirnos,
Fforwm rad y ffermwyr oedd,
Neu i ddod i gyngerdd ydoedd,
Lle y deilliai diwylliant
Y plwy'n rhieni a'u plant.

Boed i'w dôr gael agoryd
A newydd do i ddod o hyd
I fwrw canrif arall
Efo'r llwydd a fu i'r llall.
Athen Glynarthen yw hi;
Glynarthen, glyna wrthi.

Er Cof am Lyn, fy Mrawd-yng-Nghyfraith

Y di-glod goleuedig, – y lliaws
    O'r lle daw'r ychydig,
Y gwraidd sy'n bywiogi'r wig,
Y bonedd anarbenig.

Hen bethau bychain bythol – oedd ei fodd
    I fyw yn wastadol,
Ac yn stŵr ein ffwndwr ffôl
Y ddawn i fyw'n hamddenol.

Dirybudd, diarwybod, – o'n golwg
    Fe giliodd o'r cysgod
I'r glyn, a'r un mor ddi-glod
Oedd ei yrfa a'i ddarfod.

Y Bad Achub

Diaros yw tosturi, – ac ebrwydd
    Yw rheidrwydd gwrhydri
Ar greigle man lle bo lli
Trychineb yn trochioni.

Ond Gair ein Duw Ni . . .

Y mae grym y Gair o hyd
Ym Mryn-mair yn ymyrryd,
Y Gair sy'n gorchfygu'r fall,
Yr hen Air o'r Bryn arall,
Ar waethaf llif canrifoedd
Y mae'r Gair yma ar goedd.

Blagurodd llawer derwen
Ddoe o wraidd y ddaear hen,
A mynd, wedi tymor maith,
Yn ôl i'r ddaear eilwaith,
Ond er i'r pry bydru'u pren,
'Run heddiw yw'r Winwydden.

Eginodd mewn gogoniant
Freniniaethau gynnau, gant –
Eu geni hwynt a'u gwanhau,
A diweddu o'u dyddiau,
Ym Mryn-mair yma'r un modd
Teyrnas Gras a'u goroesodd.

Gwm y Bregeth a'r Pethe,
Annwyl iawn yw hyn o le,
Rho fwrw canrif arall
Gyda'r llwydd a gaed i'r llall
Dad o'r nef, rhag dod o'r nos,
Dyro iechyd i'r Achos.

I D. J. Roberts

Gyfaill dynoliaeth gyfan
Yn wyn neu ddu'n ddiwahân,
Heno daw'r fro i'w fawrhau'n
Unedig ei henwadau.
Dan ei groes fe roes i'w frawd
Weinidogaeth pum degawd.

Da i awen fu'i eni
A'i arwain ef i'n bro ni
I roi o nerth yr hen win
O'i gawg aur i go' gwerin,
Uno â ni yn ein hwyl
A thôn hiraeth ein harwyl.

Pa lygad wrth ymadaw
A fesur lafur ei law?
Pa glod cerdd dafod, pa dant
Iddo all roi ei haeddiant?
Daioni dyn yw ei dâl,
Ei fyw ydyw ei fedal.

I Stephen J. Williams

Nid gwyrth lydanfrig ei ddysgedigaeth
Dawel â'n deil yn ei hudoliaeth,
Nid oes o weini i'w wlad wasanaeth
I'r rhai â'i hedwyn sydd yn ysbrydiaeth,
Nid golud ei go' helaeth – sy'n gafael,
Nid ei ddoniau hael ond ei ddynoliaeth.

Gŵr a'i Gi

Daw, gyda'i gi du a gwyn
Ar ei chwimwth orchymyn,
Ŵr di-frys i droed y fron
Am y ras i ymryson,
A thrwy'r porth ar y llethr pell
Y daw hedyn diadell.

Ar hyd y cwr rhed y ci
Dinacâd, yna'u codi
Ar gynllyfan chwibaniad
I lwybyr swil ei berswâd,
Ac â'i lygaid tanbaid tyn
Y defaid wrth edefyn.

Ei ufuddhad fydd ddi-os,
Ar ei dor, 'Tyred', 'Aros',
I'w tywys ar droed deall
I'r lloc o lidiart i'r llall.

Yna'u dal a didoli
Yr un â nod arni hi,
Dwy glust y gwylio astud,
Dau lygad cymhelliad mud.

Pwt o ras, gwib i'r aswy
Ac i'r dde i'w gwahardd hwy,
Gan drechu ag un edrychiad
Bwnio carn eu pob nacâd,
Yna'u hel ar isel wŷs
Drwy gil dôr gwyliadwrus.

Tân Llywelyn

Mae isel dân Llywelyn
Yn para yng Ngwalia 'nghyn,
Grymusodd rhag gormeswr
Ei olau'n dwym yng Nglyndŵr,
A'r farwor a adferwyd
Yn gannwyll losg Morgan Llwyd.

Penyberth yn goelcerthi,
A'i wres yng nghalonnau'r Tri,
A'i olau ar ruddiau rhwth
Wynebau gwŷr Carnabwth
Wrth gynnau porth y gynnen
Hyd ei sail yn Efail-wen.

Megis ar ros yn mygu,
Mae'n dwym dan y mannau du.
Er marw bron gwreichionen,
Awel Mawrth a'i try'n fflam wen
Fan arall a dyr allan –
Mae'n anodd diffodd ei dân.

Clawdd Offa

Nid wal sy'n rhannu dwywlad, – na dwrn dur
　　Rhyw hen deyrn anynad,
　　Nid rhith o glawdd trothwy gwlad,
　　Nid tyweirch ond dyhead.

Cefn Gwlad

Os yw'r dre yn ddyhead – a ddenodd
　　Ddynion o'r dechreuad,
　　Mae ynom bawb ddymuniad
　　I fyw yn glòs wrth gefn gwlad.

I Anti Kate

Yn ddeg a thrigain heini – haelaf fawl
    Fo i Anti Katie,
  Ein thenciw heddiw iddi
  Am a wnaeth er ein mwyn ni.

Y wraig a noddai'r egin – am hir derm
    Ym mro deg y figin,
  Rhoes ei hoes i Daliesin
  Heb erioed ei chael yn brin.

Hael oedd i'r sawl a'i haeddai – ei geirda
    I gywirdeb difai,
  Rhoddi ei bys lle'r oedd bai –
  Y cerydd a'i cywirai.

Byw yn iach heb wanychu, – (da gwybod
    Fod gobaith, gan hynny!)
  Atolwg y mae'r teulu
  O Benygraig yn byw'n gry'.

Yn y cyhudd dan y coed, – yn rhadlon
    Hyfrydle ei maboed
  Boed i'r Ne nerthu'i henoed
  A chaniatáu ei chant oed.

Dresel

Mi a welais am eiliad – yn ei sglein
    Ar bwys clwyd y farchnad
  Gyda'i lliain, nain fy nhad
  Yn ei chwyro â chariad.

I Marie

(Merched y Wawr)
Hi yw'r wraig i ni'r gwragedd, – hi yw sail
　　Solet ein gweithgaredd,
　　Mam bro yw ym mhob rhyw wedd,
　　Ei harweiniad yw'n rhinwedd.

(Ar y Cyngor)
Cefn y gwaith yn Llangeitho, – a'i hysgwydd
　　Wrth bob tasg a fyddo,
　　A'i harwyddair – hyrwyddo
　　Y Gymrâg ple bynnag bo.

(Y Cwis Llyfrau)
Timau cwis llyfrau yn llu – a lanwodd
　　O luniaeth, a'u dysgu,
　　Llyw trwyadl pob cystadlu
　　A nyth o hwyl yn ei thŷ.

(Yn y Capel)
Diollwng law diwylliant, – a'r awen
　　A fu'n creu'n hadloniant,
　　Llaw gabol organ moliant,
　　A thŵr plwy ym mhethau'r plant.

Clown

Fry yn feddw ar wifren fain – y llinell
　　Sydd rhwng llon a llefain,
　　Ei wên drist a'i wallt llwyn drain
　　Yw ein hwyneb ni'n hunain.

I Cassie Davies yn Bedwar Ugain

Pe bawn i'n digwydd gwisgo pais,
A'm llais i fel y llinos,
A phe bai'n wastad yn fy mron
Ganeuon y werinos,
Mi fyddwn ryw chwarter y ffordd i fod
Yn deilwng o'r sawl yr wy'n dathlu'i chlod.

Pe bawn i'n medru cario llwyth
Fy nhylwyth ar fy nghefen,
Heb ado i hynny grymu 'ngwar
Nac achwyn ar y drefen,
Fe fyddwn i hanner y ffordd, fwy neu lai
I gael bod yn debyg i'r H.M.I.

Petawn i'n chwedl yn fy oes,
A'm moes i yn ddilychwin,
A phe safaswn ar fy nhra'd
Dros fy iaith a'm gwlad o'r cychwyn.
Mi fyddwn wedyn dri chwarter ffordd, bron
I haeddu cael f'enwi 'run anadl â hon.

Pe dôi o'm gwefus yn ddi-nag
Gymrâg na bu ei loywach,
Fel dŵr y Teifi man lle tardd,
Na wybu bardd ei groywach,
A phed awn yn hŷn heb fyned yn hen,
Byddwn rywbeth yn debyg i Catherine Jane.

Cloch y Llan

Yn nhwrf ein mynd diderfyn, – yn y gwynt
Y mae'n galw am dipyn
Yn ôl i gof Suliau gwyn
Ein heneidiau'n ei nodyn.

I T. Llew Jones

Dros chwarter canrif ar sgwâr llengarwch
Pentref yr oed fu pen tir hyfrydwch,
A thurio i goludd coeth ddirgelwch
Ffitio geiriau yn yr hen grefftgarwch,
Minnau hyd risiau'r dryswch – yn cerdded
Yn llaw agored ei gyfeillgarwch.

Y nosau brawdol yw fy ysbrydiaeth
A'm llyw yn wastad yw ei feirniadaeth,
Mae mwy o elw yn ei ganmoliaeth
Na'r holl anoddau a ŵyr llenyddiaeth,
A'i guro mewn rhagoriaeth, – fwy na hon
Ni fedd y galon un fuddugoliaeth.

Nes caeir drws yr hirgwsg ar drysor
Digrifa celf gydag ef a'r Cilfor
A blasu'n amal bilsennau hiwmor
Neu englyn Alun, yr hen ben-telor,
Bydd coffa da gen i'n stôr – am y tri
Hyd nes distewi geiriogi rhagor.

R. Bryn Williams

Derwydd-lwydfardd y Wladfa, – a llenor
Holl hanes Mimosa,
Mwy'n ein cof, mae a nacâ
I hwn fawl ei dorf ola?

Ar Ymddeoliad y Parch. D. J. Evans

Pan fo'r talcwaith wedi'i orffen
A'r gwys ola wedi'i chau,
Iawn i hwsmon yw cael gorffwys
I fwrw llygad dros y cae.

Draw ar dalar deunaw mlynedd
Pwy a omedd ei foddhad,
Pan fo graen ar braidd a buches,
Pan fo cynnydd ar yr had?

Dim ond ef sy'n gwybod trafferth
Dyddiau oer y gwynt a'r glaw,
Gyda mynych siomedigaeth –
Balc fan yma a phlet fan draw.

Dim ond ef sy'n cofio'r golled –
Ambell ddafad aeth ar strae,
Ambell oen ar fore'r llwydrew
Wedi trigo ar y cae.

Dim ond ef a ŵyr orfoledd
Y tymhorau yn yr haul,
Oriau ehediadau'r galon
Pan fo'r cyfan yn werth y draul.

Hawdd y goddef, mewn direidi,
Gyngor cyfaill er ei les,
Canys gŵyr, ar ddydd y cyfri,
Y bydd y Mishtir Tir yn blês.

Hwch Ffynnon-cyff

Yn ôl yn y saithdegau
Roedd hwch yn Ffynnon-cyff
A gaed yn methu sefyll
Rhyw fore yn ei nyth,
Dyna lle'r oedd hi'n eistedd
Gan ddal ei phen yn gam
Fel petai wedi'i meddwi,
Ac yn hidio dim o'r dam.

Fe dreiwyd pob rhyw ddyfais
I'w denu at ei bwyd,
Bwced, a galw 'Shw-wt',
Ac yn ysgwyd barrau'r glwyd.
Ond bob tro y ceisiai godi
Fe gwympai lw'r 'i thin,
A phetai'n medru chwerthin
Byddai wedi, wir i ddyn.

Daeth fet o Aberteifi
Mla'n rywbryd y prynhawn,
Yr hwn a wthiodd iddi
Nodwydd, dair modfedd lawn.
Fe gyffrodd rywfaint wedyn
Yn ôl a glywais i,
Ond 'nôl yr aeth i eistedd
Fel 'tai ar y W.C.

Fe holwyd y perchennog
Gan y milfeddyg syn
Pa bethau a fwytasai
Y dyddiau olaf hyn,
'O, tipyn o flawd barlys –
Sbarion y cawl a'r uwd –
O, ie a dau fwcedaid
O waelodion yr "hôm briwd".'

A dyna'n hollol syml
Oedd y cyfan oedd o'i le –
Yr hwch o dan ddylanwad
Y stwff sy'n troi T.J.

Ac mae sôn o hyd yn Ferwig,
Nid am *lamb* a stêc a biff,
Ond am facwn bendigedig
Yr hwch o Ffynnon-cyff.

Y Ddiod

Er chwennych ffroth ei sothach, – wedi'i gael
    Nid yw gŵr ddim elwach,
Ond ei fod am ennyd fach
Yn piso yn hapusach.

Yfais un ar un cynnig, – yna dau
    (Roedd hi'n dwym gythreulig!)
Â'r chweched neu'r seithfed swig
Disychedais ychydig.

Arwyddion Tywydd

1   Da i olwg medelwr
      Yw lleuad yn dala dŵr.

2   Bwrw hwyr, bwrw oriau,
      Glaw cyn deg a haul cyn dau.

3   Dwg agor yn rhy fore
      Law ar y gwynt erbyn te.

4   Lleuad fo'n goch ei llawes
      Sy'n addo rhagor o wres.

5   Da o hyd y dywedir
      'Mae'n llawn glaw, mae Enlli'n glir'.

6   Coch cynnar, tywydd garw,
      Coch hwyr, heulwen, ebe nhw.

7   Â'r broga'n llwyd, llwyd y llyn,
      Mae haul mewn broga melyn.

I Ofyn Benthyg Whilber

Yn fy angen, Ben, rwy'n bod,
O neb rwyt ti'n fy nabod.
Yn fynych y gofynnaf
Ac o hyd fy nghais a gaf.
Cans beth, rwyt ti yn ddioed
Yn ei roi heb fethu 'rioed.

Rwy'n erfyn eto unwaith,
O'th ryfedd amynedd maith,
I ti ostwng clust astud
Ataf fi, y tlota'i fyd.

Yr helbul nawr yw whilber –
Ys gwn, yn dy gartws gêr
Oes un, waeth pa mor ddi-sut,
Y cawn ei benthyg gennyt?

Mae amaethyddiaeth heddiw
Yn grefft y technegol griw,
Anferth beiriannau synfawr
Yw y norm ym mhobman nawr.
Nid cowman ond mecanic
Na weithia â rhaw na thoi rhic,
Peipen yr oel yw popeth
Ers amser, pŵer yw'r peth.

I Seren nid oes aerwy
Na'r un math o sodren mwy,
Nid oes garthu beudy'n bod –
Mae 'na beiriant mwy'n barod
Ar y tir i wasgar tail,
A bws i fynd â'r biswail,
Aeth whilberi'n brin mewn bro,
A'r gweithwyr fedr eu gwthio.

Yntau'r hwsmon, tra esmwyth
Ydyw mab y bywyd mwyth.
Ble mae'r dwylo ceinciog gynt
A chyrn y bicwarch arnynt?
Wrth frasáu aeth yntau'n was
I ofalaeth sifilwas.

Ofni'r wyf yn eu rhyfyg
Y bydd plant ein ffyniant ffug
Yn rhy feddal i'r fyddin –
Yn rhy wan i ddal y drin
Maes o law, pan ddaw yn ddydd
Drycinog wedi'r cynnydd.

Rhag ofn y daw'r gofyn du –
Y pyllau olew'n pallu
A'n peiriandai mewn prinder
Yn methu gyrru eu gêr,
Pan na byddo'r tractorau
Yn rhuo ragor i hau,
A phan fydd, ryw ddydd a ddaw,
Angen talent deuheulaw,
Hyn o gysur a geisiaf,
A mi'n hŷn, dymuno wnaf
Eto gael cydio'n y cyrn
A'u codi fel y cedyrn,
A gyrru'i llwyth yn gawr llên
Hyd ymyl pwll y domen,
Gan hamddena'n haeddiannol
Cyn olwyno eto'n ôl.

Gymar, rho fenthyg imi
O'th offer dy whilber di,
I'm dwyn i i'm doeau'n ôl
O ffws ein hoes affwysol.

Fy Nymuniad

Gweld, ryw adeg, aildroedio – yr undaith,
      A'r un ffrindiau eto,
   Yr un hwyl, a'r un wylo,
   Yn ôl y drefn yr ail dro.

Mileniwm

Fe alwyd eto filwaith
Ladmerydd y dydd i'w daith
Rownd a rownd ar siwrnai gron
Cwysi'r tymhorau cyson,
I droi haf yn aeafol
A'r gaeaf yn haf yn ôl.

Ac er cychwyn cyn bod co'
Na sôn am y Groes honno
Yn awr y mesurwn ni
Werth ein canrifoedd wrthi,
Fe ddôi ef drwy'r nef yn ôl
Yn ddi-feth i'w swydd fythol.

Tyfai'i hynt ef i'w hanterth
Nes gwanhau a llosgi'i nerth
Yn ddim bob teirlloer ar ddeg,
Cyn y dôi wedyn adeg
Ailgynnau ffagl y gwanwyn
Yn fywyn llosg wrth fôn llwyn.

Ef biau hafau bywyd,
Ef biau'r gaeafau i gyd.

Beth yw mil? Beth yw'n miliwn
Oesau wrth dymhorau hwn
Sydd â'i heddiw'n ddiddiwedd,
Nad yw'n bod na chrud na bedd
Yn ei hanes, na henoed
Na darfod na dod i oed?

Nis dawr yntau ffiniau ffug
A chymen ein dychymyg,
Ac ni fyn dderbyn yn ddall
Anwiredd milawd arall,
Ond fel erioed fe eilw'r haul
Hydref a gwanwyn didraul
A haf llawn a gaeaf llwm
Ymlaen am gan mileniwm.

Cwmhowni

(lle mae olion y capel a ddechreuodd yr Achos ym Mlaenannerch)

Lle'r arllwys Howni i Barc y Deri'i dŵr
Mae carreg sylfaen hen addoldy'n dal;
Ers pryd yn hollol nid oes neb yn siŵr,
Na phle'r aeth gweddill meini'r pedair wal.
Diau y cludwyd rhai ar gerti pell
O lawr Cwm Pregeth ar hyd lôn Bryn-mair
I Fanc Blaenannerch, i wneud capel gwell
Am fod arnynt forter gwlith y Gair.
A diau i'r rhai manaf fod wrth law
I gau'r adwyau wrth ailhadu'r ddôl,
Neu godi gwreichion oddi ar gaib a rhaw
Wrth lenwi cwter – ond mae un ar ôl.
Un maen yn sefyll drwy bob glaw a gwynt,
Oherwydd i faen arall dreiglo gynt.

Yr Hen Sul Cymreig

Yr oedd parch i ryw Dduw pell – a thwrf aruthr
    Y Farn heb fod nepell
  Yn nyddiau pregethau gwell
  Gweinidogion y dagell.

Wedi caledi'r Sadwrn – yr oedd hwyl
    Ar y ddawns a'r talwrn,
  A'r byd yn ysgwyd llosgwrn
  Cyn i Dduw ein cau'n ei ddwrn.

213

Dameg y Whilber

Rhan o'r drefn bob pythefnos
Oedd trio tacluso'r clos.
Hen glos caregog, a'i laid,
A ni'n wan, yn boen enaid.
A rhaid mud fy mrawd a mi
Bob tro oedd rhofio'r 'grefi'
Â'r brws mewn hen whilber bren
Ymaith i bwll y domen.

Wagen o whilber dderi
Ag olwyn harn, gul. I ni
Ein dau roedd ei breichiau, bron,
A hi'n wag yn llwyth ddigon.
Ei balans yn helbulus
A'i llwyth brwnt yn llethu brys.

Roedd rhywle garreg o hyd
Yn ymylu ei moelyd,
A'i gwlybyrog whilberaid
Ar lawr yn rhagor o laid
Yn diwel yn bydewau
A wnâi i ni'i ail-lanhau.

Oni ddaeth yr hyfryd ddydd
I ni gael whilber newydd
Gist sinc, ac un gostus iawn,
Fel asgell cwâl o ysgawn.
Whîl niwmatig a rhigol
Ei llwyth yn esmwyth o'i hôl,
Ac echel na ddôi gwichian
'Rhegi'r hwch' na'r ig i'w rhan.

Ac i mi a 'mrawd mwyach
Aeth y boen yn rhywbeth bach.
Yr oedd ef yn ei nefoedd,
Damon Hill y domen oedd,
Rownd a rownd fel 'tai'n *Grand Prix*
A'r clos yn drac Alesi.

A bu'r clos am wythnosau'n
Loyw a ni'n ei lanhau
Yn ddigymell. Ambell waith
Am hwyl fe'i carthem eilwaith!

Mwy yr oedd gennym y modd
I ysgawnu'r dasg anodd.
Os yr un y clos (a'r ern)
A'r hen fwd, roen ni'n fodern.

Wrth Weld Oen Marw

Megis yn awr ei thymp o ŵydd y byd
Y cilia'r fam o'r neilltu i fwrw'i hoen
Y safwn, bawb ohonom wrth y Rhyd
Pan ddêl ein hawr, rhag gweld o'r praidd ein poen.

Nid oes a'n harwain ni i fewn i'r daith,
A phwyntio'r ffordd yr elom cyn ein dod;
Nid oes a'n tywys oddi yma chwaith,
A phwyntio'r ffordd yr aethom wedi ein bod.

Cadachau'r gladdedigaeth yn y brych
Yn cydio deupen einioes, a'u tynhau,
A gwaed yr enedigaeth ar y gwrych
Yn datgan anocheledd eu parhau.

A hithau'n Fawrth, mae'r nos a'r dydd gyhyd,
Yr un yw llawr y bedd a llawr y crud.

Parch i'r Arch (John Gwilym Jones)

Fel arfer mae Archdderwydd o oed sant cyn dod i'w swydd. Rhyw Abraham ar barêd, a'i osgordd bron cyn llesged ag ef yn llusgo o'i ôl. Dyna yn gyffredinol yw barn y werin arno ef erioed, boed fel y bo.

Am yr Orsedd – rhyfeddod yw'n y fath oes â hon fod cenedl sy'n honni cynnydd yn fodlon ar safon sydd yn rhyw gyntefig ddigon, yn barhad paganaidd bron. Mewn oes sy'n medru croesi'r gofod â'i holl wybod hi ac ar fin cael cyfrinach hyna'r byd o'i fore bach, onid yw'n od ein bod ni'n dileitio mewn dal ati i heigio'n dyrfa ogylch neolithig gerrig cylch, o hyd yn dal yn bleidiol i ryw Gymreig rigmarôl? Waeth ni all prin rithyn o sail fod i nonsens Iolo.

Ond mae hen nâd am wn i, ynom am seremoni. Rhyw goel fod y regalia yn gwneud gwell dyn o'r dyn da. Rhan dyn yw rhyw newyn dall – newyn am yr anneall. Erioed bu'n hoff o'r proffwyd ddaw â lliw i'w ddyddiau llwyd, iddo mae'n fodd i addef rhyw raid sy'n ei enaid ef. Ac wrth gwrs mae gwerth gorsedd i'n denu i gyd yn ei gwedd.

Y mae'n wir fod ei mwynhad yn lliwgar iawn i'r llygad, a hynny yn denu'r dorf yn yr haul draw i wylio'r fintai yn ei 'lifrai las' a gwyrddion glogau'i hurddas. Maent yn werth cymaint â neb i wellhad y gyllideb. Ac mae'r wasg a'r camerâu a doethion radio hwythau'n cael twysg o rwysg yr osgordd. A dylai ffair dalu'i ffordd.

Pa well dewisiad, felly, i'r hen swydd na rhywun sy yn ŵr hyddysg, amryddawn, yn gall, ffotogenig iawn, sy'n ddiplomat â'i ateb, nad yw'n ail yn dod i neb sy byw heddiw mewn hiwmor? Un y mae'i iaith fel y môr (a da cael dyn, am un waith, Dyfedol ei dafodiaith!). Un ifanc – yn ôl safon y dorf dryfrith, henfrith hon beth bynnag – byth a beunydd sy'n dod i felysu'n dydd ar donnau radio'r bore, yn rhannu gras â barn gre'. Mae 'na wers ym min ei wit a neges i'w finiogwit, ac mae'i bregeth yn beth byw – ordinhad o'r dyn ydyw.

Fe fydd capel Llanelwedd yn ha' mis Awst heb ddim sedd yn wag na lle i ragor yno gael dod drwy gil dôr. Bydd y Parch. a'r Arch. yr un, yn aml ar feysydd Emlyn fel yr âi gynt hogyn teg, yr un sydd â'r ddwyfronneg heddiw'n ei anrhydeddu. Ac yntau hithau 'mhob tŷ.

I Gyfarch Tudur Dylan

Bu, yn heulwen eleni
Yn dod i'th gadeirio di
Dy weled, Dudur Dylan,
Yn agor cof am greu cân
Ar gaeau ŷd a gwair gynt
Yn awel y deheuwynt.

Wyt o egin dy linach,
Crych dy ben fel Ceirch Du Bach
Yn agor eto'i lygad
O'i stôr i arlwyo'r wlad.

Eginai yntau'n gynnar
 chnwd trwch yn y tir âr,
Ei fôn yn cadeirio'n dew
A'i wedd mor las â'r eiddew,
A dôi'n aeddfed ei hedyn
Yntau'n yr ha'n gynt na'r un.

Safai ef ar ei goes fer
A honno'n frig i'w hanner,
Yn y gwynt a'r glaw i gyd,
A safai'n y tes hefyd.

Ei bridd oedd y bröydd hyn,
Ein pridd oedd piau'i wreiddyn,
Ac yn ei rawn gynnau'r oedd
Egni'r haf dros ganrifoedd.

Ni fynnai ef gael dwfn wâl
Y Fison's artiffisial,
Nid ydoedd i'w faldodi
Na'i gymell â'ch chwistrell chi.

O dir y graig dôi â'r grawn,
Gnwd di-rwysg ein tir ysgawn
Heblaw am gyfeiriau blith
Gwenudd yr haidd a'r gwenith.

Ireiddiai'u pridd, roedd parhau
Yn ei hen, hen enynnau.

Ar ddyfod diwrnod dyrnu
Ceirch di-ail oedd y Ceirch Du,
Dôi i mewn fel teid y môr
I gwbwl lenwi'r sgubor.

Roedd nodd a rhuddin iddo –
Hyd yn oed i'w welltyn o,
Amheuthun o'i falu'n fân
I anifail, neu'n gyfan.
Roedd rhyw rinwedd rhyfeddol
Yn ei wisg a wnâi ei ôl
Ar geffyl siew a blewyn
Bustach a lloi bach bob un.

Ddylan, wyt wyneb mebyd,
A'm cof am y caeau ŷd.
Rwyt tithau fel hwythau'n wych,
Had o frid y fro ydych,
A byw, fel y Ceirch Du Bach,
I mi a fyddi mwyach.

Paradwys

Aredig yw paradwys,
A rhoi camp ar dorri cwys
Wastad yn sgleinio drosti
A rhoi'i chrib ar ei chwaer hi,
A'r môr o wrymiau eraill
Ymhlyg mor debyg â dail
Llyfyr o ddeutu'r hen ddôl
Yn union, anwahanol,
Yn raenus gefn a grwn sgwâr
Hyd oleddf pell, a'r dalar
Yn gwys ar gwys am y gwaith
Yn ei orffen yn berffaith.

I Gyfarch Ceri Wyn

Mae i wanwyn ddau wyneb,
Awyr las a daear wleb.
Yn nhrothwy Mawrth mae o hyd
Yn y dafol rhwng deufyd.

Trengi a geni'n un gwynt
Ydyw awel Deheuwynt,
A'r oen trig ar y brigyn
Yn dirwyn gwaed i'r drain gwyn.

Ceri Wyn yw cri'r oenig
Sy'n syrthio i gadno'n gig,
A hiraeth hesben wirion
A'i hofer fref ar y fron.

Ceri Wyn yw'r buchod crwm
Fan draw yn eirlaw'r hirlwm,
A galargerdd anner ddu
Wrth y wal yn erthylu.

Ef ydyw'r gwynt sy'n deifio
Yr egin ŷd â'i oer gno,
A'r sied wair lle bu'r ystôr
Yn wag o unrhyw ogor.

Ceri Wyn yw cywreiniwr
Y llun du yn y llyn dŵr,
Ac ofnau'n heneidiau ni
Yn ei laid yn gwaelodi.

Ond ef a leisiodd hefyd
Gainc ein hysgrydion i gyd,
Gan roi'n ei gân holl groen gŵydd
Hagrwch eu godidowgrwydd –
Llifogydd a'u hirddydd hwy
Ar fuarthau'r rhyferthwy,
Neu fore raser yr iâ
A mawredd y storm eira,
Neu berffaith bigau'r eithin
A'r brain cras ar ryw bren crin.

Mae i wanwyn ddau wyneb
A'u didoli ni all neb.
Ein tragwyddol waddol ŷnt,
Yn dod fel tynged ydynt.

Eu haul fyth a welaf fi,
Canu'r cur yw camp Ceri.

Llwyddiant

Nid sain y Corn Gwlad, nid y feirniadaeth
Na didor foliant y dyrfa helaeth
Yn y gwaelod yw'r fuddugoliaeth,
Ond profi melyswin hen gyfriniaeth
Yn y mêr yn ymyrraeth – gan ddyfnhau
A throi yn eiriau wlith rhyw hen hiraeth.

Cerdd Coffa Alun Cilie

'O hyd 'i Gwmtydu i grafu'n y gro'
A'i rwto diatal daw'r teid eto,
Ac mae'r gwynt a'r haul yn dal i dreulio
O Garreg yr Enwau'r enwau yno,
A'r morllyn fel ers cyn co'n ei charchar,
Fyth yno'n llafar mae'r Fothe'n llifo.

Ond fry yng Nghilie nid yw'r awenydd
Yn troi'i gaeau wrth grefftwra'i gywydd,
Yn ei wair a'i ŷd mwy nid yw prydydd
Yn lleddfu'r llafur â'i bennill ufudd,
Na'r bardd yn nhymor byrddydd yn cilio
I gael saernïo rhyw glasur newydd.

Ac ar y Suliau nid oes chwedleua
Ar nos y barrug draw yn 'Siberia',
Na glaslanc ifanc i le'r athrofa
Yn dwyn ei linell a'i gân i'w gwella,
Na hwyl y trawiad smala fu'n troi llên
Yn alaw lawen o haleliwia.

Mwy nid yw Alun ym mhen y dalar
A'i bâr ceffylau hyd rynnau'r braenar
Yn gloywi'r arad, na thwr o adar
Yn nhymor troi yno'n wylo'i alar,
Rhoed brenin y werin wâr i orwedd
Yn nhro diddiwedd hen rod y ddaear.

Mae galar yn claearu – yn ei dro
      Gan droi yn hiraethu,
   A hiraeth yn tyneru
   I ail-fyw yr hwyl a fu.

Y Cilie a Jac Alun – a dethol
      Gymdeithas Llewelyn,
   Y drindod orau i undyn
   Ei nabod wrth ddod yn ddyn.

Fforwm y bwrlwm lle bu – ei gân bert
     Gan bawb, ond serch hynny
     Alun oedd tewyn y tŷ
     Ar nos Sadwrn seiadu.

Cymêr y strociau mawrion – a thonic
     Ei chwerthiniad rhadlon
     Fel diberswâd doriad ton
     Ar y geiriau'n rhoi'r goron.

Ef yn ei hwyl a ysgafnhâi – ofid
     Stafell a bryderai,
     Ac os dros ben llestri'r âi
     Ef a'i hailddifrifolai.

Yn ei gywair cellweirus – yn adrodd
     Gwrhydri carlamus
     Hanes yr hen Jâms a Rhys
     Â'i drawiadau direidus.

A'r farn nad oedd troi arni – na wadai
     Yr un iod ohoni,
     Safai dros ein hachos ni
     Yn graig, petai'n ei grogi.

Y dydd y gwnaeth Duw brydyddiaeth – a rhoi
     I ni grefft llenyddiaeth
     A chalon at farddoniaeth
     Dim ond un Alun a wnaeth.

Profai, ar feysydd prifwyl,
Set ei het fesur ei hwyl.
A'r galon, yn llon neu'n lleddf,
I'w gweled wrth ei goleddf.
Nid drwg os tua'r wegil –
Ganddo fo ceid perlau fil,
Os isel ei gantel gwyn
Yna byr ei babwyryn.

O'r seler dôi slawer dydd
I'n cwrdd ni'r cerddi newydd,

Pan gydrannem y gemau
O'i gof, a'i lygaid ar gau.
Yn benillion brithion braidd –
Rhai blasus Rabelaisaidd –
Ymysg gweddus gywyddau
Llenor balch y Llyn a'r Bae.

Ni châi ofnau angau'i hun
Ar ei ryfyg warafun,
A châi'r rhai yn ward y brys
Berlau'i hiwmor byrlymus.
Sebonai'r nyrsys beunydd
A fflasio'r doctor bob dydd.
Yn ei breim fe fyddai bron
Wedi matryd y metron!

Ble heddiw mae'r llawdde disgybledig,
A'i ddawn o'i faes a ddewinai fiwsig?
Mae llaw agored y tro caredig
A'i fro heb nodded ei gŵr bonheddig?
Ond try'r co' i henro'r Wig – eleni
I'w rych i oedi am ryw ychydig.

Ar Ddadorchuddio Cofeb Jacob Davies

Mae 'na ryw duedd ynom fel dynoliaeth
I roi ar bawb ryw lebel bach cyfleus.
Jacob, yn ôl y Beibl, oedd y breuddwydiwr
Ac Esau 'a lafuriai yn y maes'.

Mae un, efallai, gennym yn ddigrifwr,
A'i frawd yn ddwys, yn athronyddu'n gall,
Neu ar yr asgell dde neu'r chwith wleidyddol,
Fel pe na fedrai un ddim bod y llall.

A champ i neb gael gwared ar ei lebel
Wedi iddo unwaith gael y gair,
Ond pam na ddylai'r pulpud feddu hiwmor?
Pam lai offrymu gweddi ar gae ffair?
Diolch i'r Esau yn y Jacob hwn
Am brofi fod rhyw rai yn undod crwn.

Englynion a ysgogwyd gan ymadroddion rhai o feirdd y Talwrn

Bwgan Brain (Huw Erith)

Fel 'tai'n rhyw dduw wele ddyn – ar adar
    Yr ŷd yn troi'n ddychryn,
    A chreu yn fwbach rywun
    I wylio'i faes fel fo'i hun.

Bwgan Brain (Alun Emanuel)

Y sgôr yw rhesog erwau – ir yr ŷd,
    A'r brain ydyw'r nodau,
    Y gwynt yw'r cord, ac yntau
    Yn arwain côr yn y cae.

Llinach (Enid Baines)

Â'r hen bâr mae'r un boeriad – o'i wên swil
    I'w wegil a'i lygad,
    Mae, o deip ei fam a'i dad,
    Y babi yn ailbobiad.

Bwrw'r Bai (Dic Goodman)

Wedi'r wledd a chyfeddach – y botel
    A bwyta pob sothach,
    Ci rhech oedd dull y crachach
    O roi'r bai ar gr'adur bach.

Ar y Ffin (Einion Evans)

I rwystro llif yr estron – fe wyddom
    Fod rhyw weddill ffyddlon
    Sydd fel wal yn dal y don
    Ar y ffin yn Nhreffynnon.

Soned Nadolig

Pan ddôi hi'n ddydd Nadolig arnom gynt
A ninnau blant yn mynd i fwydo'r stoc
I 'Nhad gael hoe, a'r clychau'n llond y gwynt,
Fe aem yn syth at breseb y fuwch froc
Honno â'r seren ar ei thalcen; dôi fy chwaer
Iddi â'r sweden fwyaf yn y sach
A thipyn bach go lew dros ben o wair,
Waeth hi oedd biau Seren, esgus bach.
Fe sgubai'r gwely a'i daenu â sarn mân
I'w chadw'n gynnes yn yr awel lem,
A phanso glanhau'r preseb drwyddo'n lân,
'Run fath â'r beudy hwnnw ym Methlehem.
Disgynnai bwydo'r gweddill arnaf i,
Ond wedyn, Mary oedd ei henw hi.

Cywydd Nadolig

Dim ond seren wen yn nos
Y dwyrain wedi aros
Yn isel, a chamelod
Y doethion hyd yno'n dod.

Dim ond bugeiliaid y maes
Yn eu hunfan ar henfaes
Yn gwylio gyda'i gilydd
Am ddyfodiad toriad dydd.

Dim ond rhyw hen feudy mall
Yn eira noson arall,
A myn ac asyn ac ych
Yn crensian y gwair crinsych.

A dim ond cri babi bach
A'i deulu yn ei dolach;
Ond ni bu dyn o'r funud
Honno'r un fath, na'r hen fyd.

Sbectol

Mi a brynaf bâr arall – ac yna
Bydd gennyf, chi'n deall,
Gyda dwy, gwd eidea
Lle i roi llaw ar y llall.

Parot

Onid yw'n medru deall – y Mesur
Ma' A.S. synhwyrgall,
I gael ymddangos yn gall,
Yn dynwared un arall.

Ffyn Baglau

Wedi'r anaf, ar drafel – i warchod
Eu perchen rhag diwel,
Bydd yn gorfod bod am sbel
A'i goese dan ei gesel.

Bwrdd (Bord)

Y gamp i Fatthew a'i giw – yw taro
Mewn un toriad clodwiw
Gydag ergyd gywirgiw
I'w chewyll hi y chwe lliw.

Sgorio

Oes raid yr holl gofleidio – am un gôl?
Dwi'm yn gweld fod cicio
Awyr iach i rwyd bob tro
Yn achos i lapswcho.

Cyfathrebu

Rhyfeddod mwya'r oes yw gwyrth y We.
Mae hyd yn oed y beirdd o dan ei hud
Yn dwyn Gorllewin, Gogledd, Dwyrain, De
Yn glwm o gynulleidfa ar draws y byd.

Un yn cyfarch miliwn, a'r miliwn un,
Heb falio am ffin gwlad na'r gofod draw!
Dihysbydd, i bob golwg, allu dyn
I bontio'i holl derfynau ar bob llaw.

Ond – galwch chi fi'n sgwâr o flaen fy sgrîn
Mewn byd sy'n sgubo'i gyfyngiadau i ffwrdd –
Ai trech yw gwyrth ei dibendrawdod hi
Na'r wyrth oesoesol pan fo dau yn cwrdd?

Waeth lle bo un i wrando ac un i ddweud
Mae'r cyfathrebu perffaith wedi'i wneud.

Ar Ei Chanfed Pen-Blwydd

Beth yw maint ei henaint hi – os yw cof
　　Einioes gyfan ganddi?
　　Ei hoed nid yw'n ei hedwi,
　　Nid yw yn hen ond i ni.

Hardd yw haul y bore ddydd – ac arall
　　Hawddgarwch canolddydd,
　　Ond nid oes i dywyn dydd
　　Un awr harddach na'r hwyrddydd.

I Anti Nel yn Ddeg a Phedwar Ugain

Nid yw Nel yn mynd yn hen – yn naw deg
  Y mae'n dal fel croten,
  Yn naw deg oed gyda gwên,
  Mae'n naw degawd o hogen.

Yn holl liwiau a llewych – ei lwyni
  A'i heulwenau mynych
  Ni fedrodd hydref edrych
  Yn naw deg oed 'rioed mor wych.

Naw deg oed fel tw coedwig – o fedw'n
  Aeddfedu'n osgeiddig,
  Naw deg oed fel glasiad gwig,
  Naw deg oed bendigedig.

Naw deg calon bodlonedd – a naw deg
  Nas dawr eira'r llynedd,
  Naw deg iau na'i phryd a gwedd,
  Naw deg di-oed ei hagwedd.

Naw deg atgo'r actores – naw deg oed
  Y gân yn y fynwes,
  Naw deg llaw garedig lles
  A naw deg pen cymdoges.

Naw deg Miss Lewis ei phlant – a naw deg
  Eu ffrind oll, a'u rhiant,
  Naw deg un y dymunant
  I'w naw deg oed ddod i gant.

Galwad

Pan alwai cloch dioddef tu hwnt i'r llenni cau
Fe ddôi angyles heibio heb unwaith ei nacáu.

Pan alwodd cloch drymddwysach ŵr llwytach at ei waith
Gwn nad oedd hwnnw'n dannod ei siwrnai yntau chwaith.

I Elan

(yn angladd Roy Stephens)

Mae'r awen heb ei chennad – y mae mam
    O'i mab yn amddifad,
  Y mae cymar heb gariad,
  Y mae dau yn llwm o dad.

Mae'r Calangaea'n gwywo – tyfiant haf
    Yn y tir, ond eto
  Mae'r trysor wedi'i storio
  Yn llawnder trist cist y co'.

Wylwch am syrthio o'r ddeilen – galarwch
    Am glaearu'r heulwen,
  Cofiwch yr ha' gyda gwên – gan aros
  I alaw'r eos sirioli'r ywen.

Yn Angla' Wil (W. R. Evans)

Y mae 'ma siom, o wês wês – i finne
    A Fanw a'r rhoces,
  Ma' hwnnw ym mhob mynwes
  I gau rhych Wil Bwlch-y-Grwês.

Ma' anaf ar y mini – a ma' whith
    O 'ma draw i'r Barri
  Bob llathed, a cholled 'chi
  A galar pentigili.

Ond ma'i houl e'n dwym o hyd – yn gifoth
    O atgofion hyfryd,
  Mae'r Nef yn wherthin hefyd,
  Lle buo Wil ma' gwell byd.

Mas o Ddat

'Nid yw bardd ddoe yn ennill coronau heddiw.'
(Un o feirniaid y Goron yn Eisteddfod Llanelli)

Cân di dy hen benillion a'th dribannau
I lonni'r 'rinclis' yn y Babell Lên,
Ond paid â mentro'u dangos yn y mannau
Lle mae coronau i'w cael – maen nhw'n rhy hen.

Cân di dy bennill telyn a'th delyneg
Er mwyn i gyw-ddoethuriaid ennill gradd
Am studio'u hadeiladwaith yn y coleg,
Ond paid â'u gyrru i'r Steddfod ar dy ladd.

Aeth seinberusrwydd mwy yn anffasiynol.
Nid yw barddoniaeth gyfoes yr un siap,
A'r digonfensiwn nawr yw'r confensiynol
Heb fawr o neb ac arno ond rhyw grap.

Felly na ddwg dy fydrau pert i'r sioe,
Pa ennill coron heddiw ag awen ddoe?

Cam

('That's one small step for man, one giant leap for mankind.')

Yn fudan y cyfododd o gloffrwym twym y tân,
Gan hercian yn ei gwrcwd i'r wal ac ar wahân

I hogi rhyw ddychmygion erioed a wyddai'i fron,
A'r rhaid a'i gwnâi ar brydiau yn lleddf ac weithiau'n llon.

Nes profi rhyw rym dieithr yn fwy nag ef ei hun
Yn araf, araf arwain ei law, a thynnodd lun.

A thyfodd wrth ei wefus rywfodd ymadrodd mwyn
I ddweud ei ddyheadau, ac iaith i leisio'i gwyn.

Am hynny bu'r cam hwnnw o fewn yr ogof oer
Yn gam mwy nag a gymerth yn llwch pellterau'r lloer.

Y Cel Du

Deunaw llaw, bron dunnell oedd,
A Sadwrn Barlys ydoedd.
Crynai tref i'r carnau trwm,
Yntau yn ei fomentwm
Yn rhingyll o farch ffroengoch
Yn berchen y garden goch,
A hen wŷr yn gweryru
Eu clod o weld y Cel Du
Ar hyd y stryd yn rhedeg,
A mi nid own namyn deg.

Ei glustiau pigloyw, astud,
A'i got yn goronau i gyd.
Eboni byw ei ben balch,
Gawrfil yr osgo warfalch,
A'i gal fawr yn glafoeri
Wrth droi'n ôl i'n heol ni.

Yna fel llun yn pellhau
Daliodd y sŵn pedolau
Pan aeth heibio i dro'r stryd
A chilio'n ddiddychwelyd.

Y Ffyrgi Fach

Heddiw fe'i diorseddwyd – ar y maes
Cewri mwy a welwyd,
Ond yng ngafael sawl aelwyd
Annwyl iawn yw'r gaseg lwyd.

I'r maes os daeth grymusach – tractorau
I'w cytiroedd mwyach,
Rhywfodd daw dyddiau brafiach
I gof o weld Ffyrgi Fach.

Yng Nghanolfan y Dechnoleg Amgen, Pantperthog

Yn ein cwyno a'n cynnen – awn yn ôl
   At Dechnoleg Amgen
   Ryw ddiwrnod rhag i goden
   Addod y byd ddod i ben.

Yr haul nid yw yn treulio – ar ei gwrs,
   Na'r gwynt yn diffygio,
   Ac nid yw'r teid yn peidio
   Chwarae â'r graig a chreu'r gro.

Yn ein newyn anniwall – mae helynt
   Ein hymelwa cibddall,
   Nid yw, er maint ein deall,
   Adnoddau byd yn ddi-ball.

Y dewis yn y diwedd – yw hwnnw
   Rhwng llawn a gormodedd,
   Digon neu afradlonedd,
   Daear lom neu westy'r wledd.

Myfyrion Dechrau Blwyddyn

Pan fo'r gorchwyl wedi'i orffen
Mae'r seguryd hwnnw'n hamdden,
Ond heb orchwyl mwy i'w gymryd
Y mae'r hamdden yn seguryd.

Clywais ddwedyd fod cymwynas
Wedi marw mewn cymdeithas
Ac os gwir rwy'n ofni'n arw
Fod cymdeithas wedi marw.

Rywbryd i bob un fe ddigwydd
Iddo edrych dros ei ysgwydd,
Ond pan wnelo hynny, cofied,
Ag un llygad bydd yn gweled.

Gwneud adduned ar Ddydd Calan,
Cadw hi i ti dy hunan
Fel pan dorri di hi drennydd
Na bo pawb yn gweld dy g'wilydd.

Ynys Breuddwydion

(Ellis Island, Efrog Newydd, lle mae enwau'r miliynau o fewnfudwyr a ddaeth i geisio bywyd gwell wedi'u cofnodi ar lechi dur.)

'And this is Ellis Island,' ategai'r llanc â'r siwt grand, gan estyn llaw groesawgar i'n cyfeirio bob yn bâr hyd lwybr eang y gangwe i lawnt rhyw gastell o le. Dwy erw bron o dyrau braf draw ar gwr y dŵr garwaf ei olwg fyth a welwyd, a'i lli oer yn alar llwyd yn erbyn wal yr harbwr.

O fewn dim i fin y dŵr codai tyredau cedyrn o bob uchel gornel gyrn i waelod y cymylau. Arhosai geid wrth ddrws cau'r carchar a dod i'n cyrchu, yna agor y ddôr ddu o'n blaen gan ddechrau heb lol fwrw i'w shbîl arferol.

'Heidio yn ddirifedi yma a wnaent atom ni – gwerinoedd yr ymgreinio oherwydd eu ffydd, ar ffo o'u tlotai, a rhai truan y ddaear o bedwar ban. Plant cyni'r cyfandiroedd a'r rhai heb lais i roi bloedd, yn dod â'u dyheadau brith a'u gobeithion brau i dir rhyddid i wreiddio.'

Dygai ei gwt gydag o, ond mor anodd oedd goddef ei ddrôl fain amhersain ef yn rhoi'i lith, a'r awel lem fel raser fel yr ysem am rywrai a gaeai'i geg.

Ar ruthr di-daw ei rethreg ein hanfon yn yrr synfawr draw o'r lloc i gaer dri-llawr arddangosfâu'r creiriau. Criw o orielwyr amryliw yn syn o flaen darluniau a hen brint llythyron brau. Hetiau a mân betheuach o waelod bag rhyw dlawd bach, a'r pytiau offer pitw oedd yn dipyn iddyn nhw. Rhywun yr oedd perthyn pell yma wedi ei gymell yn nabod rhai wynebau ohonynt, a'r hynt yn parhau.

Yna'n haid ymlaen â ni i le câi'r sâl eu croesholi (yr oedd wrth reswm yn rhaid gwahanu'r cryf a'r gweiniaid ar long, rhag i unrhyw lid hydreiddio Gwlad y Rhyddid). Tri gwarchodwr milwrol a'u hollbwysig rigmarôl fan'ny rhag drysu o'r drefn ag unrhyw ffws nac anhrefn, ac nid oedd – mwy nag oedd gynt – heb ei wn neb ohonynt.

Ysbaid arall ac allan eto i'r lawnt ar y lan, a phlaciau'r enwau yn rhes yno yn adrodd hanes y rhai a ddaeth yn eu tro ar fordaith obaith, heibio i'r ddelw â'r ddeheulaw â'i lamp yn olau uwchlaw. Yn rhydd i nyddu breuddwyd, yn rhydd i wingo'n ei rhwyd.

Gofyn Iawndal

A'r BSE yn dial
Geni buwch yn ganibal
O'i llynnoedd glwth lluniodd gwlad
Gamwri o gamgymeriad.

Lladd da er mwyn llwyddo dêl
Gwŷr breision Lloegr a Brwsel.
Rhoi ar dân yr eidionnau
Ar hufen tir fu'n tewhau,
Ac o rynnau caeau'r cwm
Aeth heffrod yn boethoffrwm
A'u lloi hwynt, fel difa llau,
Heb geulo o'u bogeiliau.

Hebddynt hwy byddai ein tir
I'w weld yn un anialdir,
A ni heb gaws a heb gig;
Lloi Ewrop yw'r rhai lloerig.

Gan eu bod yn ddigon balch
O estyn buwch yn astalch
I gynnal eu bargeinia
Dylai dyn gael iawndal da.
Ond pwy a rif gôd y pres
Yn niwrnod y ffwrnes?

Nid yw na siec nac Eciws
Edifarhad o fawr iws
A'r cae'n wag. Dyw'r ceiniogau
O un gwerth â'r iet ar gau.

Disgwyl

Pan dynnwyf f'anadl olaf
(Efallai'n naw deg oed),
A fydd yr eiliad honno
Yn dod ar drymach troed
Na'r tragwyddoldeb wrth wneud mistêc
A gwasgu'r sbardun yn lle'r brêc?

Pan fydd (yn ôl a glywais)
Yr yrfa i gyd o'm blaen,
Ei gorchest a'i chywilydd
Fel stribed ffilm ar daen,
Fydd yna fys ar fotwm slei
Y *Pause, Fast Forward* a'r *Replay?*

A fydd yr ennyd honno
Pan dderfydd cur a chroes
(Y bûm yn ofni disgwyl
Ei dyfod drwy fy oes)
A'i Dies Irae'n hwy yn dal
Na'r feicro-eiliad cyn taro'r wal?

Ceffyl Blaen

Fynycha, dyn dŵad yw – yn frithach
    Ei frethyn na'r rhelyw,
  A dau adwaith gwlad ydyw
  Ei alw'n ddiawl neu yn dduw.

Nhw

Ni'n hunain sy'n eu henwi – y bobl
    Sy'n wahanol inni,
  Ond ni'n hunain yw'r rheini,
  Waeth iddyn Nhw nhw 'yn ni.

Pont

Mae'r ddau mewn masgal cneuen
o gwch bach, ac uwch ei ben
y mae pâr o adar hud
yn hofran uwch rhyw hyfryd
ynys bell, a thros y bont,
wrth uchelbarth ei chilbont,
ddau hŷn wedi dod i ddal
y ddau ieuanc i ddial
gwarth eu dod gwrthodedig
i gadw'r oed dan goed gwig.

Dau elyn o ddau dylwyth,
ond yn eu llid yn un llwyth.

Mae lle i'n holl gymhellion ni
ar bentanau'r bont inni,
a dihareb o'r Dwyrain
yn stôr yn hen lestri Nain.

Cyfrinach

Rhywfodd, os yw'n fodd i fyw – i ni bawb
     Y mae'n boen unigryw.
     Heb ei dweud, dim byd ydyw,
     Ond o ddweud ei diwedd yw.

Dymuniad

Gennym er bod digonedd – yn ein mêr
     Ni mae hiraeth rhyfedd,
     A'n rhaid fyth o grud i fedd
     Yw dyheu hyd y diwedd.

Eco

Daw yr alaw yr eilwaith – ac yna'n
     Dipyn gwannach deirgwaith,
     Nes i'w mân adleisio maith
     Yn ddim lonyddu ymaith.

Rhodd

Y neb a'i derbynio hi – yn angof
　　Na ollynged m'oni,
　　A'r neb fo'n ei rhoi i ni
　　Na fydded yn gof iddi.

Y Gynghanedd

Yn enaid yr awenydd – ei geiriau
　　Fel dau gariad newydd
　　Drwy eu sain a'u hystyr sydd
　　Yn galw ar ei gilydd.

Er ei chraster a'i chrystyn – a rhoddi'r
　　Addurn arni wedyn,
　　Am ryw reswm mae'r eisyn
　　Yn well na'r gacen ei hun.

Dychymyg

Fe all y gwybod ballu – ond ynoch
　　Y mae dawn serch hynny
　　I ddwyn i fod gerdd na fu
　　Yn eich enaid, a'i chanu.

Gwelediagaeth

I'r ychydig unigryw – ordeiniwyd
　　Gorau dawn dynolryw
　　I wneud yr hyn nad ydyw
　　A'r hyn na fu'n rhan o fyw.

Pencampwr

Erioed i bob record byd – y daeth awr
    Gweld ei thorri rywbryd,
    Mae i well ei well o hyd
    A'i gryfach i gawr hefyd.

Pob anorthrech a drechir – gorau gŵr
    Y gamp a ddisodlir,
    Safon neb ni saif yn hir,
    A ragoro a gurir.

Gerald Davies

Y buan, nid dy bŵer – a ofnai
    Cefnwr yn dy amser,
    Ei faeddu o reddf oedd yr her,
    A'i osgoi'n dy ysgawnder.

Dy ryfeddod oedd codi – ein hen gêm
    Yn gelf i'w chlodfori,
    A chreu atgof ynof fi
    O'r Oes Aur i'w thrysori.

Pen-blwydd Pysgotwr yn Ddeg a Thrigain

A'r afon yn arafach – nid yw gŵr
    Saith deg oed ddim sioncach,
    Ac eto'n mynd yn giwtiach
    O bwll i bwll gan bwyll bach.

Eic Davies

Nid yw y garreg yn dweud 'Gwladgarwr'
Ar wely Isaac, yr hen arloeswr,
Ond tra ar y maes y tery maswr
Ei gôl adlam gyda sgil ochrgamwr
Bydd eto ar go' dermau'r gŵr – ar waith
Yn saga'i iaith tra bo cais ac wythwr.

Cofeb Hedd Wyn

Rhowch ar aberth brydferthwch – ac euro'r
    Garreg â gwladgarwch,
   Yn nhir y lladd daw o'r llwch
   Y ddwys waedd 'A oes heddwch?'

Ar Lechen i Goffáu Man Geni T. Llew Jones

Rhythmau'r iaith yw y muriau hen – a chwedl
    A chân yw pob llechen.
   Cartre Llew, crud deor llên,
   A thŷ mabolaeth awen.

Er Cof am Cassie Davies

Pan gilio poen y galar – a'r hiraeth
    Fel marworyn claear,
   Fe ddaw y cof at fedd câr
   I greu doe uwch gro daear.

Lleihau wnaeth y gannwyll wen – a breuhau
    Wnaeth braich y ganhwyllbren,
   Aeth y cwyr a'r babwyren
   Yn ara bach, bach i ben.

Llond galar o wladgarwch – yn cyfarch
    Llond cof o ddiddanwch,
   Llond capel o dawelwch
   O barch i lond arch o lwch.

I'r Pum Llanc

(a laddwyd mewn damwain ym Mlaenannerch)

Hwn yw mur y pum hiraeth – a gwely
    Galar pum cymdogaeth
    Am bum llanc ifanc a aeth
    I wal y pum marwolaeth.

Mêl

Deued o'r berllan dawel – neu o rug
    Y rhos ŵyl Fihangel,
    Ni waeth o ble daw'r fedel
    Mae sawr y maes ar y mêl.

CYD

I'n clymu yn Gymry i gyd – mae ynom
    Heniaith yn ymyrryd,
    I'w choledd a'i dychwelyd
    Yn fyw i'r cof ar y cyd.

Cwlwm

Edefyn rhwng dau efell – a'u cydiodd
    O'r cwd cyn eu cymell.
    Pob dafad o'r ddiadell
    Mae ei hŵyn heb fod ymhell.

Hydref

Y cawr balch yn cribo'i wallt – llwyth ar lwyth
    O'i lywethau emrallt,
    A dewis, eto dywallt
    Rhaflau'r haf i liwio'r allt.

Enw Da

Bydd chwyn yn estyn drosti – a'r garreg
    Orau yn briwsioni.
  I goffáu'n rhinweddau ni
  Mae enw'n well na meini.

Ewrop

Mae Arian am gyfannu – lle mae dryll
    (Am dro) wedi methu,
  A gwedd rhyw fawredd a fu
  Yn hen go'n ei gwahanu.

Englyn i'w roi uwchben y Cynulliad

Boed gennych lendid buchedd – a hiwmor
    Yn gymysg â'r mawredd,
  Tri gair fo'ch arwyddair: Hedd,
  Gwarineb a Gwirionedd.

Ms

Ni fyn ei galw'n fenyw – na hogen
    Na gwraig chwaith nid ydyw,
  Nid yw ŵr chwaith na deuryw,
  Ffêr inyff, beth yffarn yw?

Pregeth

Am roi gwên i ryw eneth – am beidio,
    Am ddim byd, am bopeth,
  Am ddod i fod, yn ddi-feth
  Yn hogyn fe gawn bregeth.

CYMRU DWY FIL

Y Gynghanedd

(Byddai Waldo'n arfer dal ei bod yn cynnig trydydd dimensiwn
i'r iaith Gymraeg.)

Yn oesoesol obsesiwn – i ni rhoed
    Y trydydd dimensiwn,
    Rhyw benddaredd a feddwn,
    Os nad oes sens, i wneud sŵn.

Eich Sêr a Chwi

Mae tynfa Gwener ar ei chytserau
Yn rhyw awgrymu y bydd programau
Y ffeminyddion yn fflachio'u doniau
Ar y gwrwod i gael eto'r gorau.
Ond drwy grafanc a stranciau – cyn ein bod,
Y deuai'r cathod yn dorrog hwythau.

Fe fydd uchelgais tra bo pleidleisio'n
Llaweru geiriau i dwyllo'r gwirion,
A misdimanars ein meistri mwynion
Tra cwyd y *Sun*, ac fe bery dynion
I ysu am hanesion – sgandalau.
Nid yw rhinweddau'n dod i'r newyddion.

Tra bo blew ar ddanadl bydd cystadlu,
A hithau'n 'heniaith' yn hŷn na hynny
Er inni o hyd ei marwnadu,
A thra llenydda fe fydd dyrchafu
Rhywrai'n feuryn yfory – a boed o
Yn iawn ai peidio bydd rhywrai'n pwdu.

Fe yrr dyn o'i athrylith syfrdanol
Yfory i Fawrth ryw ferfa wyrthiol,
A chylchu'r wybren ar gefn ei wennol
Yn ufudd was ei chwilfrydedd oesol.
Mynd yn uwch er mwyn dod 'nôl – dyw yntau
I'w deidiau gynnau yn ddim gwahanol.

Dolly

Prin fod angen eleni – na hedyn
   Na thad i'w ffrwythloni.
   Hen groth y wyrth, ei gwerth hi
   Yw i glôn gael ei eni.

Pwy yw fy Nghymydog?

Mae model o gymydog
Yn hen dyddyn Glyn y Glôg
Wedi'i weld ers dengmis da –
Doethach na'r un diwetha.
Roedd hwnnw'n hollol holics
Yn smocio côc er mwyn cics,
A chwrsio'i fam, am wn i'n
Hanner porcen drwy'r perci.

Mae hwn na'r bwbach hwnnw'n
Ymddwyn yn well, medde nhw.
Y mae, heb un amheuaeth,
Yn ŵr o athrylith, waeth.
Mae'n gallu byw mewn gwell byd
Nag eraill, mewn seguryd.

Four by Four a *mobile phone*
A soser TV'r Saeson,
Tŷ clyd a phatio clodwiw,
A bow cwch a'r barbeciw
Yn ei ymyl, a hamoc –
A hyn oll heb wneud dim cnoc!

Mae'r gŵr yn gampwr y gêm
O estyn ffiniau'r system
A'i thwyllo i roi'n ei frywes
Dorth wlych y Wladwriaeth Les,
Gwres y bwth, a'i grys a'i bais
Yn y fargen, a'i forgais.

243

Ei addoli a ddylem,
Nid ei ladd â thafod lem.
Fe hawlia frwd fawl y fro
I'w ddawn – tra bydd e yno.

Y Gwasanaeth (af)Iechyd

Paid â gofyn 'Be sy'n bod?' – erbyn hyn
   Does fawr neb yn gwybod,
   Waeth i ddyn gall cymhleth ddod
   Heibio yn ddiarwybod.

Mae ynom bawb ein 'mania' – neu ryw is
   Niwrosis o leia,
   Neu mae sindrom arnom, a
   Does fawr neb heb ei phobia.

Cawn y Doc i wneud ei waith – â'i gyllell
   I'n gwella o'n hartaith.
   I lwm o hyd – disgwyl maith,
   I ariannog – ar unwaith.

Pa brinder cyfleusterau – neu reswm
   Dros greisis gwelyau?
   Pa edliw hyd y ciwiau
   Os ces i bres i'w byrhau?

Lliw fy arian, llefara – rho ofal
   Preifat i mi'n gynta,
   Chi dlodion allan fan'na,
   I chi a'ch teip – iechyd da.

Diffyg (ar yr haul?)

Clywais sôn fod dynion doeth
Yn dinoeth yn rhodianna
Draw ym Mhlwy Ardudwy wâr,
Ym Mhenar noethlymuna.

Nhw yw saint y brenin Sol,
Yn fythol fe'u bendithiant
A dyheu am weld ei wedd,
A'i fawredd a glodforant.

Yno'n solas gras y gro'n
Ei hinon yn eneinio
Bôn a brig ag eli gwyn,
Yn grystyn rhag eu rhostio.

Clywais sôn i'r dynion doeth
Drannoeth fynd ar eu hannel
Yn un dorf i fryn eu duw,
I Gernyw mewn rhyw gornel.

I'w weld ef ar ganol dydd
Ym mynydd y cymuno,
Fry ymhell dan fantell fwg
O'r golwg yn rhyw gilio.
Moli'r siom o wylio'r siew
Drwy dew ffenestri düwch,
Rhag i gylch y dreigiau gwyn
Eu dallu'n ei dywyllwch.

Yna troi o bentir hwyl
Eu gŵyl o ffaelu gweled
Wedi'r heip ar fyr o dro
O Druro adre i waered.

Datgaloni

'Senedd nid yw yn syniad – 'marferol,
    Mae'r feri datblygiad
    Gennym i aileni'r wlad,
    Gwnawn yn well – cawn Gynulliad.

'Iddo down â gwleidyddiaeth – gynhwysol,
    Gwnawn iws o sbinyddiaeth,
    OMOV yn angof a aeth,
    Rheitiach yw democratiaeth.

'Wrth reswm, Sais sy 'i eisie – i roi hwb
    I'r Gymraeg a'r Pethe,
    Ac yn wir, i'r tir yntê – a'r gwartheg
    Llaw llysieureg wrth y llyw sy ore.

'Pa edliw blin mai pwdl blêr – yw hwnnw
    Fu'n bennaeth y siamber?
    Mae yma un y mae e
    Reit i wala'n rotweiler.

'Pasiwn y pethau pwysig – (fel ein tâl
    Yntê)'n weddol ddiddig,
    Ond uwchben cynnen y cig
    Dewrach oedi ryw 'chydig.

'San Steffan a'i tharane – nid i hwn,
    Boed wâr ei bwyllgore,
    Di-lid fo'i gyd-aelode
    Fel na bo sŵn bw'n y Bê.'

Dim Ond Gofyn

A hwy'n orau yn Ewrop
Pwy a wâd i'n grwpiau pop
Yr hawl i ganu'n yr iaith
Sy orau i'w clasurwaith?
Waeth p'un, nid gwell un na'r llall,
Dw i ddim yn eu deall.

Os yw strôb ym mwstwr rêf
Yn hawdd i'r tshics ei oddef,
Ac os mai gwych ei luched
Sut mae mewn sesh eisie shêds?

Os rheswm combo'r drwmwr
Ar y stâj yw treblu'r stŵr,
On'd yw'n syndod ei fod e
Wastad yn plygio'i glustie?

Cyfrifiadur

Pa athrylith fendithiol
Yn y grefft, pa 'fyg' a'i rôl
A luniodd ei raglenni
Mor gall nad yw'n deall '0'?

247

O Na Byddai'n Haf o Hyd

Maen Nhw yn rhy brysur yn segura
Heddiw i hanner mwynhau hamddena.
Heigiau niferus y gonfoi ara
Din-drwyn sy'n dirwyn fel moch Gadara
I folheulo'n Falhala – ddilychwin
Gwlad y Gorllewin, lle mae'r hin yn ha'.

Pwy sydd a wybydd faint eu haberth,
Neu a ŵyr gymaint o ddur a gymerth
I fynd drwy draffig y Bont, a'r drafferth
I ddyn dŵad yw arwyddion dierth
Ar riw siarp neu ar dro serth – wrth ddiengyd
O stryd yr adfyd i'r Wynfa brydferth?

Na hidiwn lanast ar hyd ein lonydd,
Na'u twr o gywion, na'u cŵn tragywydd.
Croesawn eu dyfod, rhwng y cawodydd,
I'r Walia Gŵl i gweryla â'i gilydd.
Mae heulwen ac ymwelydd – cyfoethog
Yn dod â'r geiniog, mae'r wlad ar gynnydd.

Waeth nhw sy'n cynnig y waredigaeth
I'r Gymru wylaidd rhag ei marwolaeth,
Eu cysur yw rheol ein bodolaeth
A hulio'u digon ein galwedigaeth,
Yn nhir llwm y mêl a'r llaeth – tewch â sôn,
Nhw a'u cynilion yw ffon cynhaliaeth.

Amenio heddwch traeth a mynydda
A chaer Rufeinig a charafanna
Heddiw yw'r hanes, a'r flwyddyn nesa
Fallai'n anfon cyfeillion i Wynfa,
Nes dod 'nôl y waith ola – ryw ddiwrnod,
A chael bod eu dyfod wedi ei difa.

'. . . Fel yr Adeiledid y Deml.' Sech. 8:9

A bu, yn y dyddiau duon, annerch
o'r henwyr rai gweinion
y Ffydd. 'Na foed brudd eich bron.
Gwnawn i ni deml newydd
i fod yn glod drwy'r gwledydd,
er urddas Dinas y Dydd.

'To grisial ar lun malwen yn agor
ar degwch yr heulwen
a chau rhag defnynnau'r nen,
a'i llawr o'r clotas glasaf
na wywant yn y gaeaf,
ac ni bydd grin yn hin haf.

'Arlwywn wydrau lawer i'w heirddion
fyrddau fel y gweler
torf ei saint o rif y sêr,
a daw brawd o iachawdwr
i'n gwaradwydd, gwaredwr
o barthau Deau y dŵr.

'Ac ef drachefn a gyfyd y galon
gywilydd, ac edfryd
y gân a dawodd gyhyd.
Ac yna fe utganwn
ei fawredd, a chlodforwn
ei allu – pan enillwn.'

Bwyta'n Iach

Dacw rhyw ionc yn loncian – drwy'r mwrllwch
    Ar drot hwch yn tuchan,
Ffasiynol reol ar ran
Un â phot yw ffit-ffatian.

Bara i'w fwyta ni fyn – na dim oll
    Sy'n gwneud math o enllyn,
Dim saws, dim caws, dim cig gwyn,
Na dim wy na dim menyn.

Mistêc fâi bwyta stecen – ei ddiwedd
    Siŵr Dduw fyddai harten,
Mae cig yn berig dros ben
A'r botel yn *verboten*.

Mae'i wraig ar ddeiet eto – i'w lleihau,
    Wnaeth y lleill ddim gweithio.
Ond erioed, boed fel y bo,
Rhaid i rai bara i drio.

Felly purdan amdani – aerobics
    A rhyw rybish feji,
Man a man 'tai'i mam a hi
Yn bwrw mas i bori.

Mae colestrol lond bola – yn y cig,
    Ac mewn caws lysteria,
Ac iddi mae pob dim da
Yn wael am salmonela.

Chwarae teg i'r deietegydd – fe ŵyr
    Efe y daw'r bwydydd
Heddiw a fônt yn ddi-fudd
Er hynny i'r fôg drennydd.

        *   *   *

I'w hwtro'r wyf fi hytrach – yn fyddar,
    Ond fe fyddai, hwyrach,
Fy nghoffin i'n ysgawnach
Betawn i yn bwyta'n iach.

Alun Mabon

Lle triniai gwlltwr unwaith – i ennill
Gwenith o'r tir diffaith
Mae'r G.E.'n ymroi i'r gwaith*
O'i roi'n ôl i'r drain eilwaith.

* y Gymuned Ewropeaidd.

Cwrdd y Bore

Yn ei ddwst a'i wedduster
Tawai'r cloc a swatiai'r clêr
Yn sych-Saboth swch-syber.

Croen y wal yn cario nod
Llwydni ac ambell adnod
A hen luniau'r eilunod.

Dau lwmp o hen ŷd y wlad,
Un hen g'wennen a'r gennad –
Digon i gael diwygiad –

Yn cwafrio'r ceinciau hyfryd
A 'cyhoeddi' 'run ffunud
Â 'taen nhw'n gant yno i gyd.

Hwylio drwy'r fendith ola
I'r iet yn gwartét, 'Ta-ta
A *go'-bless* tan tro nesa.'

Cyfathrebu

Rŷm ni'n prynu'r papure
I ni bawb gael gwybod be
Fydd ar sgrîn y teli 'ntê,
Ac yn gwylied teledu
Os ŷm am wybod be sy
'Mhapure fore fory.

Realaeth Bron-â-Bod

Ar ei lun ef ei hunan y gweithiodd
Efe gaethwas tegan
O ddyn Mawrth, a ddôi'n y man
Yn efaill cwbwl-gyfan.

Ei ddonio â rhwyddineb clun a llaw,
Calon, llais ac wyneb,
A'i wybod yn grynodeb wedi'i hel
I ryw banel metel chwim ei ateb.

Ond y robot didrwbwl ni allai,
Serch holl allu'i feddwl,
Danio ffag na bod yn ffŵl, na chymryd
Olwyn ei gerbyd yn dablen garbwl.

Na chodi pais na threisio hyd yn oed,
Na 'gwneud' neb, rhagrithio,
Na heileiffian na sbliffio chwaith, druan,
Mwy na chelwydda na chywilyddio.

Na dyheu am gael dial ar eraill,
Nac ar awr ei ofal
Fwrw'i frych na chrafu'r wal –
Byddai hynny'n *rhy* real.

Sut oedd Hi i Ti?

Gwneud cythrel o sbloet a jolihoetian
Fel petai'n gyntaf ac olaf Calan,
Hyd nes dôi Ennyd Sero ei hunan
I oldlangseinio'r môr a'r marian,
A'r hen gloc yn tictocian – waeth be wnawn,
Ei fesur cyfiawn – dau fys i'r cyfan.

Cywydd Mawl i Hywel Gwynfryn

Hywel fore'i leferydd,
Y record sy'n deffro'r dydd.
Ef i'r adar yw'r larwm
I gychwyn canu'n y cwm,
Hebddo ef ni byddai haul
Y wawr na bore araul.

Y llais sydd yn gwneud yn llon
Â'i gleber ddyddiau gwlybion.
Tawed y proffwyd tywydd
'Mwyn popeth â'i bregeth brudd,
Doed iâ ac ôd, uded gêl,
Mae'n ha' yng nghwmni Hywel.

Ef, pan ddaw Awst y Brifwyl,
Hyd y drws sy'n dod â'r ŵyl.
Ei glywed yn welediad
Â'i weled yn glywed gwlad.
Pa Steddfod heb ffregod ffraeth
Ei wybod a'i sylwebaeth?

Pwy a alwodd y peilot
I'w hwyrol, Sabothol sbot?
Gan ddod â gwên i enaid
Heb archoll na lluchio llaid.
Ni chronnwyd dawn gyflawnach
Na hon o fewn y sgrîn fach.

Boed i'w gabol gyboli
Lawenhau'n hwyrnosau ni,
A'i hys-bys ar draws y bau
Ar awel y boreau.
Gyda'i wit, cadwed ati,
Waeth sianel Hywel yw hi.

Hela

(Addawyd pleidlais rydd yn Nhŷ'r Cyffredin ar fesur i wahardd hela.)

Mae dirfawr lawenychu
Heddiw'n y Dalar Las
Fod y Senedd wedi addo
Atal yr helgwn cas.
Y mae hi wedi chwech o'r gloch
Ar y cotiau pinc, medd y rhosyn coch.

Mae cipial yn Nhwll Daear
Rhwng Siân Slei Bach a'r plant
Fod ganddynt drwydded mwyach
Fin nos i blannu dant
Yn ieir a hwyaid Eban Jôs,
Ac ambell oen oddi ar y rhos.

Mae moliant yn San Steffan
Fod enaid yn Rhif Deg
A fyn i bob creadur
Ei gyfiawn chwarae teg.
'Waeth pa mor llwm neu sâl y boch
Rhowch lonydd i Sîon Blewyn Coch.

Mae canu yn y nefoedd
Yn siŵr, a llawenhau
Yn rhengoedd democratiaeth
Drwy'r gweldydd yn ddi-au,
Fod ystyriaethau mawr y dydd
I'w penderfynu drwy bleidlais rydd.

Dedfryd

(Dedfrydwyd Marjorie Evans i gyfnod o garchar gohiriedig
ar gyhuddiad o daro plentyn yn ei hysgol.)

Y mae carchar yn aros
Pob rhyw athro rhagor os
I ryw lowt y rhydd glowten –
Fe dynn y byd yn ei ben.

Does neb i fod gwastrodi
Epil di-foes ein hoes ni,
Waeth y rhain yw ffrwyth yr hil
A saif dros hawliau sifil.

Gwae i athrawes anwesu
Un o'r plant i drwsio'r plu
Wedi rhyw ddiddrwg ffrwgwd –
Sws bach i ddod dros ei bwd,
Waeth mae murmur cysur côl
I rai yn gamdrin rhywiol.

Aeth yng nghlorian yr annoeth
Gomon sens yn nonsens noeth.

255

Pryder

Mae'r Clwy am y cwm a'r clos
A'i fwg yn hunllef agos
Hyd y wlad wedi'i ledu
Yn rhaff o dân, yn gyrff du,
Cyn cael amser, yn lle'r llall
I'w chlirio o'i chlwy arall.

Aeth amaeth yn ddisymud,
Mae'r llociau ar gau i gyd.
Cae mart heb gart ar ei gwr
Na pheiriannau na phrynwr
Yng ngwarchae cyfwng erchyll
Difater driger y dryll.

Rhag coelcerth y rhyferthwy
O ble daw ymwared mwy
I wlad? Ai rhaid fydd cloi drws?
Ai'n hyfory yw'r feirws?

Nid yw'r Felin...
(Caeodd Cwmni Corus ei waith dur ym Mrymbo.)

Os cwyno yw pris Cynnydd, – a chorws
Chwerw hyd heolydd
Segurdod, pa syndod sydd?
Elw ni ŵyr gywilydd.

Troi'r Cloc

Roedd 'nawr' ddoe yn un ar ddeg,
Heddiw mae 'nawr' yn ddeuddeg.

Cymerodd dic o'm horiawr
I'm gwneud yn hŷn o un awr!

Wrth Ddisgwyl ym Mhorth Tesco

(Biliwn o bunnoedd oedd elw Cwmni Tesco
am y flwyddyn, yn ôl y newyddion.)

Mae drws mynedfa'r biliwn,
Hwyr, bore a phrynhawn,
Yn agor wrtho'i hunan,
A'r meysydd parcio'n llawn.
Ond styllod sy'n ffenestri
Y siopau cornel mwy,
Mae'r clychau wedi canu'r
Tro olaf iddynt hwy.

Mae silffoedd y digonedd
O bopeth hyd y fyl,
Y trolis oll yn llawnion
A llawnach fyth y tyl.
Ond allan yn y tywydd
Mae rhywrai'n byw yn fain,
A phreiddiau a buchesi'n
Mynd rhwng y cŵn a'r brain.

Esgyn mae olew Tesco
Fel toesyn yn y noe,
A'r bobiad erbyn heddiw
Yn fwy nag ydoedd ddoe.
Ond 'fedrodd neb wneud bara
Heb lefain yn y blawd,
Ac ni wnaeth undyn elw
Ond drwy golledu'i frawd.

Wimbledon

Daeth drachefn yn bythefnos
I'r peli chwyrn-droelli dros
Y rhwyd mewn amal frwydyr.

Bydd yno gyhyrog wŷr
A'u Sianis proffesiynol
Yn hudo'r haid ar eu hôl
Unwaith eto i blesio'i blys
Am eu hufen a mefus
Ucheldrem y lawnt emrallt,
A'r pwrs hael a'r prisiau hallt.

Y bêl ar bob sianel sy,
Ennyd fer i'n difyrru.
Y bêl yw eu bywoliaeth,
I rwymyn gêm rŷm yn gaeth.

Rhod Wynt

Fry ar seld yr ucheldir, – yr 'Y' fawr
Yw yfory, meddir.
Ac o tan ei chysgod hir
Ynni'r byd a arbedir.

Ein pŵer o'r copaon – a rennir
Wrth ffrwyno'r awelon,
A bydd mwy o Fynwy i Fôn
Bropelor lle bu'r peilon.

Poeri Cerrig

(Cododd helynt yngylch safonau beirniadu ymhlith aelodau
y *Cherry Pip Spitting Association*!)

A phoeri cerrig ceirios
Yn ddawn unigryw'n ddi-os,
O dipyn i dipyn daeth
Eu poeri'n bencampwriaeth.

Ond y mae pethau'n poethi'n
Y Swistir, meddir i mi,
A dadl sydd yn ennyn dig
Ym mhoerwyr yr Amerig.

Pwy yw'r cawr poerwr ceirios
O boerwyr byd, pwy yw'r bos?
A ph'un anrhydedd Guinness
Yn haeddu sydd, ai y Swiss
Ar Font Blanc, ai Ianc o ŵr
Pwerus o ben poerwr?

Mae eisiau tecach mesur
Ebe'r gŵr sy'n boerwr byr,
A boe hirach ei boeriad
Yn achwyn cwyn ei nacâd.
Y mae hwnnw'n dymuno
Sticio at y status quo.

Diau, yn gystadleuydd
Os ei di i boeri, bydd
Rhywrai fyth yn siŵr o fod
Yn dy wddf – jyst fel steddfod.

Bandiau Pres A Chorau Meibion

Mae'r chwarel yn Neiniolen wedi cau,
Yn Llithfaen ac yn Nhrefor yr un fel,
Ac mwyach mae ffon fara'r pecyn pae
I lawer wedi peidio â bod ers sbel.

Mae'r olwyn wedi aros uwch y pwll
Mewn llawer Llan ac Aber yn y De,
Ac nid oes yno ond segurdod mwll
Lle unwaith bu prysurdeb lond y lle.

Ond dewch chi, mewn rhyw festri gyda'r hwyr
Bydd nodau gloyw offerynnau'r band,
Neu leisiau, na fu i'r llwch eu tagu'n llwyr,
Yn seinio eto'u harmonïau crand.

Mae'n profi'r hen wirionedd, onid yw,
Nad ar fara'n unig y byddwn byw.

Harry Potter

Mae arwyr newydd bob rhyw hyn a hyn
Yn dod i ddal dychymyg y to iau.
Cynnyrch athrylith dddistaw'r rhai a fyn
Fod y cyfarwydd ynom i barhau.
Y rhai a ŵyr fod gennym lygaid oll
A wêl tu hwnt i'r llygaid hyn o gnawd,
A dangos inni y baradwys goll
Sydd ynom bawb yn cyfoethogi'n rhawd.

A phan ddaw torf teicwniaid ffilm a fidio
I'w prynu a'u haddasu 'er ein lles',
Megis y gwna gwareiddiad nad yw'n hidio
Am fawr o ddim byd arall ond y pres,
Diolch fod gwyrthiau'r sgrifenedig air
O hyd yn drech na'r holl 'gonffeti ffair'.

I Fererid

Hogiau diolwg ddigon
Ddoe oedd ein beirdd yn y bôn.
Llai na hyll, fallai'n hollol,
Ond eu bod o hyd â bol
A chest lled fasochistaidd
Ac yn brin o egni braidd.
Ni bu'r rhai oedd ar y brig
Gynnau yn ffotogenig.

Nes yn Ninbych yn uchaf
Wele roi yng Ngŵyl yr Haf,
I fonllef o hwrê frwd
Y siapus Fissus Hopwood
(Diolch i feirniaid diwyd
A ŵyr be' yw be'n y byd
Barddonol – beirdd eu hunain,
A thriwyr doeth ar y diain!)

A chadeiriwyd merch serchog
Â'i gwedd cyn lonned â'r gog,
Am storom na wyddom ni
Y dynion ddim amdani.

Hi yw awen y fenyw
Wrth agor bedd, wrth greu'r byw,
A hi i lên yw'r awel iach
Na allwn hebddi bellach.

Hi yw rheswm ein traserch,
Hi yw ein mam, hi ein merch.
Mererid yw'n hie'nctid ni,
Hi yw dawn ein dadeni.

Newyddion O'r Dwyrain

Yn Israel mor wael yw'r hin,
Ymdaro mae dwy werin
Lle mae hen, hen elyniaeth
Yn trigo i wneud drwg yn waeth.

Un lladd yn dial y llall,
Un marw am wae arall
Yn ofer gylch-y-diafol
O wylo nes talu'n ôl.

Mae i ddyn gael dant am ddant
Yn ddiweddd ar faddeuant,
A'i ddyled o ddialedd
A erys fyth dros ei fedd.

Cân y Pum Mil

('*We are at war.*' – Yr Arlywydd Bush)

Ni, bethau sy dan boethwal – y rwbel
    Lle bu'r rhaib diatal,
  Ni'r rhai mwy sy'n farwor mâl –
  Nid ni sy'n dewis dial.

Chi'r rhai byw sy'n chwerwi'r byd, – chi yw Duw
    A chi y diawl hefyd.
  Ni wna'ch propaganda i gyd
  Mo'r meirw mwy i ymyrryd.

Os am gael hedd, ymleddwch; – i godi'r
    Gaer gadarn, distrywiwch.
  Bydd y rhai sy'n llai na llwch
  Yn rhydd o'ch barbareiddiwch.

Ewch eto'n ddycnach ati; – drwy y bom
    Y daw'r byd i sobri.
  Mlaen yr ewch, ond na wnewch ni
  Yn esgus dros ei losgi.

Iaith

(Wythnos Dysgu Cymraeg yn y *Western Mail*)

I amryw o'n cyd-Gymry mae'r heniaith
    Mor anodd i'w dysgu,
   Ond drwy'r sawl anhawster sy
   Fe gân' Wlpan i'w helpu.

Trwy galedi'r treigladau'n y diwedd
    Y deuant fel ninnau,
   O'i harfer hi i fawrhau
   Ym mhen dim ein hidiomau.

Ei siarad yw'r ramadeg, y wefus
    Lafar ydyw'r coleg,
   Onid yw, yn ara deg,
   Afrwyddair yn troi'n frawddeg

Yn arwain at un arall, a hwyl fawr
    Ar lefaru diball.
   Fe ddaw llwydd o wall i wall
   Yn y diwedd â deall.

Nadolig

Y clych yn galw'n uchel, – a hogyn
    Yn agor ei barsel
   I nodyn hud y Noël
   Yn y rhew ar yr awel.

Er gwaetha'r llanast plastig, – a disgord
    Ei esgus o fiwsig
   A'i eira ffals a'i stryffîg,
   Mae'n dal i mi'n Nadolig.

Deddfau Ewrop

(Mae'r Gymuned Ewropeaidd yn argymell cyfyngu oriau gwaith
gyrrwyr tractorau i ddwy awr ar y tro.)

Ti sydd ar orsedd esmwyth
Dy dractor hyd yr hwyr,
Rhag i'r cryndodau cyson
Ddryllio dy gefn yn llwyr,
Mae Ewrop am dy atal nawr
Rhag gyrru rhagor na dwy awr.

Na hidia ddim os byddi
Ar hanner troi dy gae,
Mae fory c'yd â heddiw,
Gad iddo fel y mae.
A'r glaw yn dod, a'r gwair ar lawr,
Na weithia ragor na dwy awr.

Mae angen gorffwys arnat,
Go brin fod angen dweud,
Fel bo gan ddoethion Brwsel
Rywbeth gwerth chweil i'w wneud.
P'un a wyt gorrach neu ynte'n gawr
Eithaf dy dalcwaith fydd dwy awr.

A phe dôi Alun Mabon
Heddiw yn ôl i'r glog
Eto fel cynt i ganlyn
Ei arad goch a'i og,
I beth y codai gyda'r wawr?
'Châi e ddim gweithio ond dwy awr.

Carreg Y Gloch

(Dywed traddodiad fod carreg ar Gaer-meini yn y Preselau sy'n canu fel cloch
pan drewir hi. Ai dyna'r esboniad ar enw pentref Maenclochog islaw?)

Y mae maen ar Ga'rmenyn, – o'i daro'n
Cadw i yrru nodyn
Fel rhyw gloch o'r foel i'r glyn
Yn cyrraedd i Gwm Cerwyn.

Anthem

(Mae pedwar aelod o Gôr Meibion Hwlffordd wedi'u diaelodi
am ganu geiriau *Baa Baa Blacksheep* i alaw *God Save the Queen*.)

Dywedant mai lle cantor – yw canu
Cân i Cwîn yn Hwlffor',
Neu oddef, ar egwyddor,
Heb ddim dowt gic owt o'r côr.

Yng Ngwalia ni ddylid canu – geiriau
Gwirion i amharchu'r
Anthem hon, waeth mae hynny'n
Sarhad – ar y ddafad ddu.

Marw Tywysoges

Ni ŵyr galar gywilydd, – daw i dlawd,
Daw i Lys y cystudd.
Yr un yw briw y fron brudd,
'Run yw galar â'n gilydd.

God Bless America

(Geiriau a welir yn fynych bellach ar hysbysfyrddau Efrog Newydd)

Os wyt ti'n Affganistan, – ac ym mysg
Y meirw ym Manhattan,
A rhu'r gynnau ar Ganaan,
Ai Ti yw Crist y Koran?

Chwedl o Geredigion

Roedd unwaith ŵr a gadwai wenyn. A
Sylwasai fod ei heidiau yn prinhau
Yn ara bach – rhai'n hedfan dros y ffin
I fela a gado'i gychod ef i rai
O bell. A dwyn dysgodron penna'r wlad
Ynghyd a wnaeth efe, a'u holi hwy
Pa fodd y medrai ddenu'r heidiau'n ôl?

Ac wedi hir fyfyrdod meddent, 'Dos
I godi mwy o gychod. Taena fêl
A siwgr ger eu dorau yn yr haul
I ddenu gwenyn newydd. Cyfod fwy
I gynnal eto'r cynnydd, hyd nes bod
Codi a chlymu lawer yn dy dir.'

Hynny a wnaeth efe. Ond yn eu plith
Roedd gwenyn meirch ac ambell gachgi bwm
Ac eto eraill oedd o duedd gas
Na felent ddim, a'i fwg yn eu styfnigo
Fwyfwy, ac myn diawch fe ga's ei bigo.

Twyll
(a hithau'n dymor wyna unwaith eto)

Y benddu'n dynn ei chader
Yn llyo llawr ei brych,
A sgerbwd wedi'i flingo
Yn hongian yn y gwrych.

A phenddu bychan bolwag
Yn gwisgo cot ail-law
O'i war i fôn ei gynffon
I'w gadw rhag y glaw.

Cyfraith a Threfn

(Dygwyd plentyn i'r llys yng Nghaerdydd am y canfed tro.
O fewn awr yr oedd yn troseddu wedyn.)

Crwtyn deg i'r cwrt yn dod
Yn beryg bro yn barod,
A'r fainc yn ei gyfrif o'n
Rhy ieuanc i'w ddirwyo.
A rhaid fu'i ollwng yn rhydd
 gair neu ddau o gerydd.

Ym mhen awr y mae'n ei ôl
Ar ei fwriad arferol,
Ac fel y bu'i ran ganwaith
Yn rhydd heb na cherydd chwaith
Na'r un gair edifeiriol.

Gwae ni ein proffwydi ffôl,
A gwae wleidyddiaeth gywir
Sy'n gwrthod gwybod y gwir.

Marathon

(Gorffennodd Tudur Dylan farathon Llundain mewn tair awr,
pum deg chwech munud a deuddeg eiliad ar hugain.)

Nid ennill sy'n dy dynnu, – nid y tâp
Ydyw tâl d'ymdrechu
Na mwynhau bonllefau'r llu,
Ond y boen yn dibennu.

Yn dy erbyn dy hunan – y rhedaist
Yr ystrydoedd, Dylan,
Pan oedd y milltiroedd tân
Yn arteithiau i'r tuthian.

Dy ludded fydd dy fedal, – a dygnwch
Dy egni'n dy gynnal
Dy hun yn erbyn y 'wal'.
Trïo, a dod drwy'r treial.

Craig Goch

(Soniwyd yn ddiweddar am godi argae enfawr arall yn y Canolbarth
i gyflenwi rhagor o ddŵr i Loegr.)

Os oes rhaid cael reserwâr, – yna Ni
    Ddylai wneud y darpar,
A Ni, os bydd dŵr yn sbâr, ddylai fod
Yn elwa o ddiod hael y ddaear.

Cofied Blair Gwm Tryweryn, – a rhai doeth
    Caerdydd Gapel Celyn.
Ein heiddo ni'r rhoddion hyn,
Nid i'w rhoi'n rhad i rywun.

Os ydyw'n iawn i Saudi – ar elw'r
    Olew gyfoethogi,
Trefnodd rhagluniaeth roddi
Eu holew nhw'n law i ni.

Argraffiadau o Gonnemara

Er hanner ffeirio'i henaid – i foddio'r
    Torfeydd o ddieithriaid,
I blesio'r Ewro oes rhaid
Darostwng i dwristiaid?

Y mae Pat a'i rych dato'n hanes mwy
    Dan siment y bynglo.
Nid yw twlc o hen dŷ 'to
Yn ffit i ddim ond ffoto.

Y perthi wedi rhedeg, – a'i dir llaith
    Yn dra llwm o wartheg,
A rhoes grant ffyniant i'r ffeg
Ar aceri'r tir carreg.

Ond ar dir sâl ardal wleb – ei dylwyth
    Mae'n dal yn ddihareb,
A distewi ni all neb
Na'i iaith hen na'i ffraethineb.

Etifeddiaeth

(I goffadwriaeth G. Wyn James)

Gwaddol ei bobol, bob un
A gafodd heb ei gofyn,
I'w choledd a'i dychwelyd
I rywrai iau yn ei bryd.

Hi oedd y we yn ei ddal,
Hi y gân yn ei gynnal.
Hi ei hegni, hi ei her,
Hi'i barhad, hi ei bryder.

Cadwodd o'r ffynnon honno
A rannai'i dŵr i'r hen do
Faw erioed, tan i Fai'r iâ
Blannu'r bâl yn nhir Biwla.

Streic

Yr un hen gynnen! Y rhai anghennus
Eisiau arian i gael byw'n gysurus,
A rhai undebwyr hunan-dybus
Yn addo hafog i wlad oddefus,
A rywsut ym mhob creisis – bydd rhywrai'n
Talu eu hunain yn reit haelionus.

Solfach

Y mae, rhwng bryn a marian, – wylanod
O gychod yn gwichian
Yn y llif wrth gynllyfan
Yn Solfach, gilfach y gân.

Y Sioe Fawr

Wedi llanast y llynedd, – ym mro'r siom
   Mae'r Sioe ar ei gorsedd,
   A lliw yr haul o'r diwedd
   Yn heigio'r wlad i gae'r wledd.

Anifeiliaid yn heidiau, – a'r rheiny
   Â graen ar eu cefnau'n
   Y ffair hon, a pheiriannau'n
   Glwstwr ym mhob cwr o'r cae.

A maint y dyrfa heintus – a'i hymwâu
   Hyd y maes hyderus
   Yn adfer llonder y llys
   Eto o'r lludw trallodus.

Er gwaethaf holl frygawthan – dienaid
   Rhyw wladweinwyr truan,
   Y mae hanes hwsmona'n
   Llawn siom – a milwrio mla'n.

Cwestiwn

(Mae peryg, meddai Mr Bush a Mr Blair, i Saddam Hussein
ddatblygu *weapons of mass destruction*.)

Cyn cwympo'r Wal, yn nyddiau'r Rhyfel Oer,
Cydbwysedd grym a gadwai hedd y byd
Yn ôl y gwybodusion. Mynd i'r lloer
A meddu arfau cryfach ydoedd bryd
America a Rwsia, a John Bwl
Wrth reswm, yntau wedi dal y clwy,
Yn dilyn yn eu sgîl fel rhywbeth dwl
I 'lunio arfau damnedigaeth fwy'.

Ni feiddiai un ymosod ar y llall
Meddid, rhag ofn i'r gelyn daro'n ôl
A gollwng arni holl bwerau'r Fall,
Fel bod rhyfela yn strategaeth ffôl.

Os felly, 'wnân nhw'n awr egluro pam
Nad yw'r un peth yn wir yn nydd Saddam?

Marw Cymydog

Mae ambell un ym mhob llan – yn dawel
   A diwyd ymhobman,
  A'r rhwyg, pan ddaw'r bedd i'w ran,
  Yn fwy nag ef ei hunan.

O fewn yr encilfannau – y gwenodd
   Ei gannwyll ei golau,
  Heb ei weld gan gewri'r bau –
  Hyd nes ei weld yn eisiau.

Sgadan

(Am y tro cyntaf ers llawer blwyddyn
dychwelodd yr heigiau sgadan i Aber-porth.)

Fore Sul yn gynnar – galwad ffôn
Bod rhwun wedi clywed rhywrai'n sôn
Am gwch bron iawn yn methu dod i dir
Gan drymed oedd yr helfa. 'Oes yn wir –
I lawr ar Draeth y Dyffryn – rhwydi'n llawn
Sgadan fel slawer dydd.'

        A buan iawn
Yr oeddem dan Benbontbren yn un haid
Yn disgwyl – fel ein teidiau gynt mae'n rhaid –
Yr arian llathr oddi ar y we
I lenwi'n cydau, cyn ein troi tua thre
Ac oglau wynwns ffrio'n codi'n gry'
O'r odyn hyd y Sgwâr, o bob ail dŷ.

Mae'r sgadan eto'n ôl yn Aber-porth
Eleni, a'r 'ddau fola ym mhob corff'.

Gŵyl

(Sioe Ganmlwyddiant y Cobiau Cymreig yn Aberaeron.)

I gae'r Sgwâr ar wresog hin
Y tyrrodd plant y werin
I ben-blwydd canmlwydd y cob,
Seren holl bonis Ewrob.

Cesig gosgeiddig eu gwedd
A heini feirch sidanwedd
Yn chware'r peder pedol
Yn arian byw bron i'w bol
Yno, a'u prancio'n parhau
Rhamant gogoniant gynnau,
A hawlio 'mhlith yr aliwn
'Y tair C pia'r tir hwn'.

Democratiaeth

A Pheilat a ddywedodd, 'Mynegwch i mi
Pa un o'r rhain a ollyngaf i chwi.
Ai Barabbas, y lleidr a ysbeiliodd eich tai,
Ai'r Iddew hwn na chaf ynddo ddim bai?
Ymgynghorwch â'ch gilydd – mae cael barn y bobl
Wrth rannu cyfiawnder yn arfer nobl,
A medraf finnau o'm cyfrifoldeb
Olchi fy nwylo mewn cymedroldeb.'

A henuriaid y bobl a'r archoffeiriaid
A chwiliodd y dyrfa am eu cynghreiriaid,
Gan annog pawb yno i godi ei lef
Yn uchel a gweiddi, 'Croeshoelier ef'.
Fel na fyddai'r rheiny a anghytunai
I'w clywed gan Beilat, hyd yn oed pe dymunai.
Ac o'r dydd hwnnw mynegi a wnawn
Fod barn y mwyafrif bob amser yn iawn.

Ffarwél i Wilym Owen

Y mae Gwilym a'i golofn
Mwy ar drai, mae arna'i ofn.
Mae'i Air Olaf olaf o
O'r golwg i lwyr gilio.

Pwy mwy o Fynwy i Fôn
Yn swigod ein pwysigion
A rydd bin ei lên finiog
O'i stôr gwawd os distaw'r Gòg?

Nid saff rhag dos ei effaith
Na phwyllgor na chyngor chwaith
Yn siŵr, pan ddinoethai'r siars
Eu mynych fistimanars.

Dod i wybod y cwbwl
Am droeon gwleidyddion dwl
Wnâi G. O., a dwyn i'n gŵydd
Wastraff ac anonestrwydd.

Nid oedd ffafor cwangorwyr
Yn poeni dim o'r pin dur,
A rhoi'n ewn y gwir a wnâi
I'n golwg, fel y'i gwelai.

Ond os diogel tawelu
Y gŵr crac a'r geiriau cry',
Ai call oedd i ni nacáu
Cartŵn y ciciwr tinau?

Rhag embaras y caswir
Gorau i gyd osgoi'r gwir!

Endeavour
(a suddodd ger arfordir Portugal)

Dyw'r byd wedi dysgu dim,
Ni wrendy ar yr undim.
Ac mae Sbaen wedi'i staenio
Yn dew â glud gwaed y glo,
A'r olew'n dew ar y don,
Yn dew ar greigiau duon,
A hagrwch di-gwch i gyd
O fro farw yw'r foryd.

A aeth briw trafferth y *Braer*
A hafog Penfro'n ofer,
A'r lleill? Hyd pryd y parhâ
Ein hwylwr ysgafala
A'r tinceriaid tanceri
I ddwyno ein moroedd ni?

Ond mae trêd yn dywedyd
Na ddaw byth i foroedd byd
Lanhâd tra bodlonwn i
Elw'r olew reoli.

Yr Ymgeisydd Aflwyddiannus

Er gwasgar ei bosteri
Ar bob rhyw glawdd a lôn,
Mae'n well bod un mewn ffenest
Na chant ar byst y ffôn.

Addawodd bob gwelliannau
A chael addewid croes,
Ond mae mwy nag ef yn methu
Â chadw'i air, on'd oes?

274

Gardd

(Er cof am frawd-yng-nghyfraith)

Dau *growbag* wedi'u hagor
Oedd yr ardd mewn rhyw hen ddrôr
Yn ffenest ei Orffennaf.
A'i holl fryd ar hyd yr haf
Yn ei wendid oedd tendio'i
Reng o domatos, a rhoi
Ei ddyddiol fedydd iddynt
Er mwyn gweld eu trymhau'n gynt.

Ond ryw ddiwrnod fe gododd
Ac at yr ardd robag trôdd
A gweled yno'n gwaelu
Un o'r dail yn gancer du,
Na allai eto'n holliach
Ei bywhau â'i debot bach.

Ac ar i waered wedyn
Teneuo wnaent o un i un,
Nes y cnwd yn rhwd a drôdd –
Y gwyfyn a'i gaeafodd.

Rhyfel

Bydd dial o'r anialwch – yfory,
   Nes adferir tegwch
   I atal llid plant y llwch.
   Ni all lladd ennill heddwch.

Gelyn

Oni fyddai'n dda i ddyn
Holi pwy yw ei elyn
Yn gyntaf cyn ymrafael,
Waeth mae gwaeth a gwell i'w gael?

Ym mhob un y mae beunydd
Yn torri mas rhyw gas cudd
Pe mynnem na allem ni'r
Marwolion mo'i reoli.

Os felly, a yw rywun
O ryw ach na ches yr un
Rheswm erioed i'w groesi'n
Un modd, yn elyn i mi?

A yw distryw gwlad estron
Irác i fod llenwi 'mron
Â rhyw glochdar gwladgarol?
A ddylwn i ddal yn ôl?
Ai 'ngorfoledd ai 'ngweddi?

Fy ngelyn fy hun wyf i.

Ymchwiliad Hutton
(sef y barnwr a gafodd na fu twyll o du'r llywodraeth
i gyfiawnhau'r rhyfel yn Irác)

Gan bwyll bach fe ddaw achos – yr ymladd
I'r amlwg, gan ddangos
Mai rhywbeth croes i'r ethos
Yw bwrw'r bai ar y Bòs.

Ambiwlans yr Awyr

Pan ddelo yn drychineb
Arnom ni blant y llawr,
Rhag mynd yn ein ffolineb
Yn brae i Angau Gawr
Daw angel gwarchod ar y gwynt
I'n codi fel Eleias gynt.

O lanast ein damweiniau
A rhyfyg ein mwynhad
I wely'r glân lieiniau
A dwylo'r esmwythâd,
Nid byth y'n gwrthyd ar y daith,
Nid byth y'n dwg i farn ychwaith.

Ac os daw i'n cyfarfod
Ddisyfyd drawiad poen,
A glesni oer y darfod
Yn cerdded hyd y croen,
Hyd fryn na phant nid oeda ddim
Adenydd ei hymwared chwim.

Ein cardod sy'n ei chodi
A'n heisiau yw ei gwerth,
Ein c'wilydd yw ei thlodi
A'n gwendid yw ei nerth,
A thra yn wyllt y rhuthrwn ni
Fe fydd uwchben ei hangen hi.

Yn y Babell Gelf a Chrefft

Mae gŵr â threm agored – yn edrych
     A medru amgyffred
     Lluniad lliw, neu hyd a lled,
     Ond o'r galon daw'r gweled.

Cenhadon y Gwanwyn

Er i'r daffodil a'r eirlys
Ennill molawdau'r bardd
Erioed am ddod â'r gwanwyn
Yn ôl i glawdd yr ardd,
Bydd sawl llwyn eithin digon hagr
Ers tro â blodau ar ei ddagr.

A serch i ffliwt y fwyalch
Heddiw â'i nodau hi
Gyhoeddi ei llawenydd
Eto, fe glywais i
Asyn y Cnwc yn seinio cnul
Y misoedd du ers lawer Sul.

Ac er bod ŵyn bach eto
Yn prancio ym mhob cae
Yn dweud bod ha'n dychwelyd
Yn ara bach, y mae
Y wâdd ers tro, 'waeth faint fo 'nhawnt
Yn codi'i chestyll ar y lawnt.

Twtsh o'r Haul

Pan fyddo'r tywydd garw'n sgubo'r tir
A gwyntoedd a llifogydd yn eu grym,
Neu'r rhew a'r lluwchiau eira'n para'n hir,
Mae barn ein Jeremeiaid ni yn llym –
Cynhesu amgylcheddol sydd ar fai,
A'n llygredd ni'n difrodi'r haen osôn
I fyny rywle fry, yn ôl y rhai
Ohonom sydd yn gwybod, tewch â sôn.

Ond pan ddaw argoel, bob rhyw hyn a hyn,
Am bwt o dywydd gweddol i'w fwynhau,
A'r teli'n addo y bydd haul ar fryn
Am rai diwrnodau eto i barhau,
Mae Duw'n ei nef a phopeth ar i fyny –
Does fawr o sôn am lygredd y pryd hynny.

Everest

(Mae trigain tîm o ddringwyr yn paratoi i herio Everest
i ddathlu hanner canmlwyddiant ei goncro gan Hillary a Tensing.)

Ac Everest yn estyn
penydfa ei gopa gwyn
i'r awyr, fe fydd rhywun

o dan hud ei rewllyd ro
a'i eira'n dal i herio
dynion 'am ei fod yno'.

Ni all uthredd y llethrau
na hongian wrth raff angau
ym min y cwymp mo'u nacáu

ar uchaf eu hymdrechion,
na'r fedal yn y galon
yn iâ trwch yr entrychion.

Mae'r hen, hen sialens o hyd
yn y mêr yn ymyrryd,
yn Everest ei holl fryd.

Newyn

(Ofnir bod Ethiopia yn wynebu newyn arall.)

Beth wn i beth yw newyn?
Rhyw sôn ar Newyddion Un.

Crefu du dwy lygad wen
A bol yn crafu bowlen,
A brwyn sydd fel breichiau, bron,
Yn gywilydd o gylion.

Gofer sych a gafr sâl
A mamau hesb yn mwmial,
A'u haid pyrcs fel codau pys
Yn eu breichiau brawychus.

Wybren drist, a'r brain yn drwm,
Hen biti! Trowch y botwm.

Mintai Hapus mewn Tipi

Yng nghornel Parc-yr-Afr, lle'r oedd ein hydlan gynt,
Mae tresi o rubanau yn hofran yn y gwynt,
A thair o bebyll pigfain lle'r oedd yr helmi ŷd,
A thri neu bedwar teulu o'u cylch a phlant yn fflyd.

A phwyso ar y llidiart a wnawn y nos o'r blaen,
Heb gwmwl yn yr awyr a'r sêr i gyd ar daen,
Yn tynnu ar fy nghetyn a gwrando cerdd a chân –
Bron iawn na fynnwn uno'n yr hwyl o gylch y tân.

Roedd y delyn fach a'r ffidil yn llonni conglau'r clos
A geiriau'r hen alawon yn Cymreigeiddio'r nos,
A'r hen oes i'r un newydd yno yn cyfarch gwell
Yn sŵn y môr ar farian, a'r byd a'i bethau 'mhell.

A gwelwn uwch ei drybedd y cogydd yn ei blyg
Yn llenwi'i gegin bigfain a'r nos â sawr ei gig
A'i estyn yn olwythau i'r newynnog rai ei ddwyn
I'w fwyta'n doc-ar-liniau oddi ar eu seddau crwyn.

A phob yn awr ac eilwaith dôi clec o'r briwyd crin
(Neu fallai'n wir mai rhywun oedd yn agor potel win)
Nes pan fachludai'r lleuad yn nharth yr oriau mân
Roedd sawr y mwg yn aros, ac adlais nodau'r gân.

Chwerthin

Crynodd, fel asgell glöyn
Yn dod o'i choma hir
Yr amrant, yna'r eilwaith –
'Mae'n deffro, ydy'n wir,'

A phlygodd wyneb gofal
Dros wely'r adfywhad,
Er mwyn i ddagrau'r gofid
Gael chwerthin eu rhyddhad.

Y Ffeit Gyntaf

(Mae chwedl fod Rocky Marciano, pan oedd yn filwr yn Sir Benfro,
wedi cael ei ffeit gyntaf yno.)

Mae'r sôn fod Marciano
Am ryw hyd unwaith ym mro
'Nachlog-ddu, pan fu tu fas
tafarn yffarn o gwffas.

Pedwar neu bump a gwympodd
Ag un traw, ac yna trôdd
I weld yr heddlu ar waith.
Tri ohonynt ar unwaith
A loriodd fel tair cleren –
Tair noc-owt a'r bowt ar ben.

Ac fe ddaeth Mynachlog-ddu
I rico gyda Rocky,
Y cry'i ddwrn, fe'i creodd o
Yn gawr nad oedd mo'i guro.

Ymateb i Erthygl yn y *Western Mail*

'Ymhlith eich ffolinebau chi'r Prydyddion
Ar adeg y Nadolig,' mynte'r Beirdd,
'Mae gyrru at eich gilydd ryw englynion
A cherddi y tybiwch chi eu bod yn heirdd.

'Maen nhw'n gocosaidd ac Amhroffesiynol,
Nid ŷnt yn gyfieithiadwy nac yn Llên,
Mae'u hidiom a'u delweddau'n gonfensiynol,
Mae eu symbolau'n rwtsh a'u hodlau'n hen.'

Os felly, gwared ni mewn Ysgol Feithrin
Rhag i ni ragor lawenhau pan glywn
Droi drama'r Geni'n hanner ffars, a chwerthin
Fod plant yn canu carol mas o diwn.
Mae dathlu'n beth rhy ddwys i bob rhyw siort
Ymwneud ag ef, ac nid yw celf yn sbort.

Waliau

(Berlin ac Israel)

Unbennaeth greulon baner
A gwaed yn baeddu'r morter
I osod meini balchder
A'u cododd yn eu pryd,

A hiraeth plant gorthrymder
Yn galw am gyfiawnder
Uwchlaw cymylau amser
A'u dymchwel hwynt i gyd.

Drudwy

(Mae sôn bod eu nifer yn prinhau.)

Prinhau o hyd mae'r drudwy
Heddiw'n y tir, meddant hwy.
Nid yw ffrwst eu trwst ers tro'n
Cymylu'r caeau moelion,
Na haul hydre'n pelydru
Patrymau o liwiau'u plu.

Nid ydynt fel cynt o'r cae
Ragor yn deilio brigau
Tyrfus y cloddiau terfyn,
Na rhoi ffrwyth ar gyrff yr ynn.

I glwydo dod nid ydynt
Fel isel awel o wynt
I loches ar gyflychwyr
Yn haid ar haid gyda'r hwyr.

Ai llymion ddulliau amaeth
Eu prinhad peri a wnaeth?
Ai bygythiad ofnadwy
Oernant a'i wn arnynt hwy?

282

4.33. Y Gân Ni Chanwyd

(Darlledodd y BBC un o weithiau 'cerddorol' John Cage:
pedair munud a thair-ar-ddeg-ar-hugain eiliad o ddistawrwydd hollol.)

Roedd holl dorf y gerddorfa'n
Ddi-swn heb na bw na ba.
Llonydd pob corn a llinyn,
Pob rhes bres, pob tamborîn.

Molto dim. pob dim o'r dôn
A'i nodau oll yn fudion.
Dim bît na *recit.* na *rall.*
Na chychwyniad na chynnal.

Dim trwmped na chorned chwaith
Yn glorio'n eu disgleirwaith,
Dim bas, dim alaw, dim byd,
A hynny 'mron bum munud.
A'r maestro yno yn rhwydd
Yn arwain y distawrwydd
Gan godi o'i gopi gwyn
Guriad lle nad oedd nodyn
A chwifio'n frwd fraich wen fry'n
Uwch i'w hysio gan chwysu
Nes dod cresendo di-swn
I rymuso'r emosiwn.

A mintai barch mewn tei bô
O wiriondeb yn gwrando
Cerdd na fu'n bod yn dod i
Ddiweddawd nad oedd iddi.

Da yw gwybod fod rhoi fent
I dawelwch yn dalent.

Arwyr Cymru

(Aneurin Bevan ac Owain Glyndŵr oedd y ddau uchaf
ar restr y Can Arwr Cymreig yn y *Western Mail*.)

Bu'n anodd gennym ddewis p'un o'r ddau
I'w osod ar y blaen ym mhôl y We.
P'un ai Tywysog Sycharth ynte Nye.
Gwerinwr *v* Aristocrat yntê.

Un yn ymostwng o'r arglwyddiaeth fras
Yn darian dysg a moes ei werin bobl,
A'r llall yn codi o galedi'r ffas
I uchelfannau grym y cylchoedd nobl.

Portread o'r ddeuoliaeth sy 'mhob dyn,
A dameg o'n hymwneud, y naill â'r llall,
A fydd ryw ddydd yn dwyn ein gwlad yn un.
Ai gormod yw gobeithio mwy y gall
Sosialaeth genedlaethol pôl y We
Ganu rhyw gloch ymateb yn y Bê?

Marw Bonheddwr

(John Charles)

Tristáu mae'r teras tawel – o gilio'r
Cawr Gwylaidd i'r twnnel,
Gŵyr yn iawn ragor na wêl
Urddas o'r fath i'w arddel.

Traeth y Bermo

(lle boddwyd yr harbwr-feistr a'i ddirprwy)

Draw i'w dywod o'r diwedd – y tynnwyd
O'r tonnau gelanedd
Ei frigwyn fôr gan na fedd
Ei gerrynt ddim trugaredd.

Dim Smygu

Rwyf innau am roi fyny, – a ganwaith
    Rhois gynnig ar hynny,
  Ond trech o hyd ddedfryd ddu
  Rheolaeth Walter Raleigh.

Os wy'n brin o San Bruno – dyw'r awen
    Druan ddim yn gweithio.
  Yr wy'n grac heb ddim baco,
  Ar fy ngwir yr wyf o 'ngho.

Ni wnaeth llond cratsh o batshis – wahaniaeth,
    Na swnian y missus
  Ddim para fawr mwy na mis,
  Be' wna'i nesa? Hypnosis?

Mae'r ysfa'n ddofn ac rwy'n ofni'n ddirfawr
    Na dderfydd ei meithrin,
  'Synna i ddim os na ddaw hi'n
  Un wiff wrth gau fy nghoffin.

Lliw

(Clywais gyffelybu'r ddynoliaeth i fyrddaid o beli pŵl.)

Y Brenin Mawr yn rhoi sialc ar ei giw
A gwahodd y Diafol i ddewis ei liw,

A'r wen yn taranu yng ngrym y toriad
Gan chwalu'r peli i bob cyfeiriad –

I ddyfnder poced, neu i daro'i gilydd
Yn fyrddaid chwâl o liw aflonydd.

A'r wen yn suddo o un i un
(Ond câi ei hailosod 'tai'n suddo ei hun!)

A'r lliwiau yn syrthio bob un i'w tynged
Hyd nes i'r wen gael y ddu i'w phoced.

A Duw a'r Diafol yn rhoi'u ciwiau i hongian
Ac ysgwyd llaw, achos gêm oedd y cyfan.

Siôn Corn

Ers dyddiau fy amheuaeth – ohono
Yr hen Siôn, ysywaeth,
Yn ystod nos dod ni wnaeth.
Hosan wag yw sinigiaeth.

Celwydd

('*We are going over "live" to Wimbledon.*')

Mae gen i'n y gegin gefn
Sgrîn wydr sgwâr – fy nodrefn
Moethusaf. Dwg i'r stafell
Luniau 'byw' o ryw lan bell
Drwy ryw wyrth na fedraf i
Am ennyd ddeall mo'ni.

Bywyd rhyw Gwm yn gwmws
Fel y mae, 'i ffeitiau a ffws
Rhyw rithiol garwriaethau
Ym min nos rwy'n eu mwynhau.

Daeth bywyd rhyw stryd ers tro'n
Gesail wag i'w selogion,
Ac afreal realaeth
Sci-fi i fintai yn faeth.
I ni feddwon celfyddwaith
Y Bill mae y ffilm yn ffaith.

Yn enwogrwydd rhwydd yr oes
Bri ennyd yw gwobr einioes.
Gan bobol lle'r addolir
Gwyrthiau'r gau y rhith yw'r gwir.

Pluen

Darllenodd dro ei llinell, – a'i hitio
   Â'r pytiwr o hirbell
   A'i ffedo fewn i'w phadell,
   Ac mae'i gerdyn un yn well.

Crib Fân

(Gwelais hysbyseb yn gwerthu teclyn trydan i ladd chwain.)

Mamgu'n fy sgrafellu'n fain, – a minnau
    Â 'mhen uwchben lliain
    Yn dioddef gan lefain,
    Ei dileit oedd dala 'whain.

O'm tresi byddai'r gribin – yn eu hel
    Ynghyd fel had cennin
    Ar ffo o wynt paraffîn
    I'w diwedd rhwng dau ewin.

Ond mae ffordd arall allan – i'n gwared
    Ni o gyrraedd ffwdan
    Yr haid lwyd – fe gafwyd gan
    Y trêd ddadchweinwr trydan.

Pob chwannen wedi'i ffrio, – y llau oll
    Yn llwch wedi'u rhostio,
    A nedd eu trydaneiddio
    Yn dra hawdd mewn dim o dro.

Felly ar ras pwrcaswn – y teclyn
    Ticlis fel y gallwn
    Drafod ein cathod a'n cŵn,
    Dewch o'na a dadchweinwn.

Mis Bach

Er i'w haul ddenu o'r wain – lili wen
    Dan lach gwynt y Dwyrain,
    Amod ei fod yw byw'n fain
    A thrigo'n wyth ar hugain.

Prawf Dant

(Darganfuwyd dant mewn penglog gerllaw Côr y Cewri
a phrofwyd fod iddo nodweddion trigolion Sir Benfro.)

Ers tro'r oedd Côr y Cewri
Yn hen ddirgelwch i ni.
Pa ryfeddod a gododd
Faen ar faen, ac ym mha fodd?
I beth? Pa bryd, a chan bwy
I'w wneud mor hir safadwy?
O ba lwyth o bobol oedd?
Neu wlad? Ai meidrol ydoedd?

Tan i bâl ein dyfalwch
Yn y llawr gael dant o'r llwch
I adrodd rhan o'r hanes
A'n dwyn ni i'n doeau'n nes.

Roedd enamel Preseli
Yn haen front yr ifori,
Ac i'w weld yn ei graidd gwyn
Ddeunydd mynydd Ca'rmenyn.

Ac er ei hoesol amgau
Yn fud dan bridd defodau
Marwolion, mae'r wehelyth
Er hynny'n llefaru fyth.

Pobol Eraill

'Run llwyth sydd arnynt hwythau, – 'run wylo,
   'Run haul uwch eu pennau,
   Ar yr un pryd tra'n parhau
Yn wahanol – fel ninnau.

Teulu

Does fawr o groeso bellach iddynt ar y stad,
Mae'u tai'n domennydd diraen, ac mae'u plant
Yn crwydro'r nos yn gwbwl ddiberswâd,
Digon bron i drethu amynedd sant.

Gwae eu cymdogion o wahanol dras,
A'r hen drigolion a fu yno'n byw,
Bydd llawer iawn o'r rheiny'n symud mas
O ffordd y teulu cythraul, ac o'u clyw.

Fe strywiant erddi'r landlord, a chael sbri
Wrth ddamsang hyd ei lawnt, ac ym mol clawdd
Yn rhywle, rywle gwnânt eu hych-a-fi
Gan ledu llawer clefyd yno'n hawdd.
Ond â'u bywydau hwy 'chaiff neb ymhél –
Mae mochyn daear yn beth bach mor ddel!

Pla

(Locustiaid yn Ethiopia)

I newynu trueiniaid – yr anial,
　　Er prinned eu tamaid,
　　Daw o draw yn haid ar haid
　　Holocóst y locustiaid.

Am y wlad pan ymledant, – yn gwmwl
　　Ar gwmwl disgynnant,
　　Troi yn nos y tir a wnânt,
　　Mae llawr moel lle'r ymwelant.

Yn wybren plant trueni – 'run o hyd
　　Yw'r niwl nad yw'n codi.
　　Nid yw ein holl wybod ni
　　Yn ei ddifa na'i ddofi.

Cymodi

Yn nydd cam ni bydd cymod,
Heddwch o degwch sy'n dod.

Y golomen wen ni hed
Fry o'r llwch pan fo'r lluched
A rhu'r daran ar dorri
Yn chwythu'n ei herbyn hi,
Fel mai ofer i werin
Godi'r ffens i gadw'r ffin
Yn Israel ymrafaelus
Ein hau baw ac estyn bys.

Adnabod yw cymodi,
Ni phryn cledd ein hedd i ni.

Elusen

Troi'n digon yn haelioni – yw ein lle,
    A'n llwydd yn dosturi.
    Annoeth y wlad na thâl hi
    Ei dyledion i dlodi.

Boed i gyni'r peithdir pell – a'i eisiau
    Affwysol ein cymell
    I agor, bawb, ei logell
    I rywrai gael fory gwell.

Ni welwn o'n byw helaeth – eisiau punt
    Sbâr ei materoliaeth.
    Ond fe all, i'r rhai di-faeth,
    Dwy geiniog wneud gwahaniaeth.

Erin

Y fro dlawd a'r ford lydan, – ei chlefyd
    Yw ei chlwyfo'i hunan.
    Daear y tafod arian
    A'i chwyn a'i cho' yn ei chân.

Storom Awst
(Galanas Boscastle 17.08.04)

Mae'n rhyfedd fel mae pawb yn credu bod
Mis Awst yn adeg heulwen a mis gŵyl,
Pan fo fynychaf sydyn storm yn dod
Tua'i ganol i roi taw ar bob rhyw hwyl.
Fel y gwnâi ar gaeau medi oes a fu,
Gan chwalu helem a gwastoti tas,
Cyn dyddiau'r dyrnwr medi a'r cwdyn du,
A gadael sgubau'n glwm o egin glas.

Mae'n siŵr fod gan wyddoniaeth eglurhad
Am y llifogydd – teidiau mawr,
Gwasgedd isel ymhell tu hwnt i'n gwlad
Neu gorwynt o'r Amerig yn dod i lawr.
Ond nid oes neb all ddweud paham mae gwae
Yn dilyn pob gorfoledd – ond fel'na mae.

I Goffáu Richard Rees
(Bwriedir codi maen coffa iddo ym Mhennal.)

Mae alaw ar yr awel – i'w chlywed
Uwchlaw'n crio'n dawel
Am lais *tremolo* isel
Yr organ fawr â'r gân fêl.

A mab cerdd eto'n cerdded – ei gaeau,
A'i gywair i'w glywed
Yn nhôn yr afon lle rhed,
Fel si felys, ei faled.

Yng nghynefin ei linach – sain ei fas
A wna feysydd glasach.
Mae'r gân, lle llama'r geinach,
Byw o hyd uwch Pen-maen-bach.

Waldo

(Ar ganmlwyddiant ei eni)

Yr oedd unwaith fardd annwyl
Yn llywio'n llên, a holl hwyl
Y cwmni, ac ni all neb
Ohonom gael ei wyneb
O gof, gyda'r cysgod gwên
Hanner slei, drasi-lawen.

Pryderu am deulu dyn
A wnâi'n wastad, gan estyn
Iddo nawdd ei awen wâr,
A'i weddïau i'r holl ddaear.
Rhoddi'n hael i'r ddau a wnaeth –
Doniolwch a dynoliaeth.

Cyfrinydd cof yr henoes,
A chydwybod od ei oes
Yn plethu i berth ein perthyn
Angerdd ei ing hardd ei hun
Yn ei alar a'i chwarae,
Y byd i gyd mewn dau gae.

Dwrn

Rhaid i ŵr a gâr daro – ei gadw'n
    Gaeëdig lle byddo,
  Ond rhaid ei agor bob tro
  Y tâl i ysgwyd dwylo.

Pardwn

(Dic Penderyn)

Daw dydd y bydd a'i baeddo – yn findeg
    Dros gyfiawnder iddo,
  Ond tra rhaff, rhy hwyr bob tro
  Gwrogi'r neb a grogo.

Y Bae

Unwaith bu'r dociau'n ffynnu
Ar lan y dŵr halen du,
A'r bae â berw bywyd
Drwyddo yn gyffro i gyd.
Ei drigolion drwy'i gilydd
Yn seilio'u ffawd ar sawl ffydd
Mewn Sodom na wyddom ni
Nodau'r gân na'r drygioni.

Cymuned eciwmenaidd
Yn nydd cythlwng blwng y blaidd
Yn byw a marw, yn bod
Yn dyrfa, ac yn darfod.

Wedi'r glo mae dŵr gloywach
Nawr yn y Bae, fymryn bach,
Ac mae fandal cyfalaf
Yn cymoni'r bryntni braf.
Hewlydd hen g'wilydd ar gau,
Villas lle'r oedd hofelau,
A phiazza ger magwyr
Cul-de-sac y ladis hwyr.

Ac yn fforest y gwestai
Bumllawr mawr yn nodi mai
Hon yw dinas dadeni'n
Gwlad, a gobaith ein hiaith ni.
Tre Lundain pob arweiniad
A Pharis pris ein parhad.

Ac er i'r gwybed hedeg
I'w lawntiau heirdd o'i lyn teg,
Mae y Bae'n datgan mai budd
Ei deicwniaid yw Cynnydd.

Tanni Grey-Thompson

Yn hanfod ambell enaid mae rhyw ddur
Nad oes a wnelo ddim â nerth a maint –
Rhyw ddi-ildioldeb wrth wynebu'r mur
A fynn ei ddringo, a chyfri hynny'n fraint.
Nid er mwyn ennill rhyw nawddoglyd fawl
Wrth ddiystyru pob niweidiol ddeddf,
Nac am fod ei lwyddiannau iddo'n hawl,
Ond am fod yr ymdrechu ynddo'n reddf.
Megis drwy darmacadam trwch y tyr
Blodeuyn impyn ir heb fwrw'r draul.
Nid eiddo ddewis ond cryfhau pan yrr
Y grym o'r gwraidd ei wyneb tua'r haul
I ffrwytho yn ei bryd a rhoi i'w had
Enynnau ei brydferthwch a'i barhad.

Y Nawfed Ton

(Mae enwau eraill ar Draeth y Gwyrddon,
Ogo Mali, Pen'rodyn ac Ogo Goron erbyn hyn.)

Fe fyddai'r tonnau unwaith
Yn sisial yn Gymraeg
Ar raean Traeth y Dyffryn
A'r swnd dan Ben-y-Graig,
Ond pan fâi'r nawfed ton a'i hwrdd
A llif môr-tir yn dod i'w chwrdd.

Ac erbyn hyn mae'r tonnau
Yn rhegi yn iaith y nef
Yn *Dead Man's Gulch* a *Mammoth*,
The Point a *Royal Cave*
Wrth iddynt gwrdd ag ymchwydd hir
Y nawfed ton sy'n dod o'r tir.

Cofeb

(I Dic Evans ym Moelfre)

Uwch creigiau Moelfre'n edrych tua'r wawr
Mewn ystum heriol o huodledd mud,
A'i ddwylo ar y llyw, mae cerflun cawr
A wyddai am y môr a'i driciau i gyd.
Fe'i carodd, ac fe'i heriodd droeon gynt
Gan omedd i'w greulondeb fynych brae
Pan ymorffwyllai'r tonnau i sgrech y gwynt,
A'i ddwyn i ddiogelwch pell y bae.

Gan amled y dychwelodd pan oedd gwrec
Yn yfflon sarn yn nannedd creigiau briw,
Heb ddim ond amdo gynfas ar y dec
A gweddi ar y gwynt dros rai o'r criw.
Cyfartal oedd-hi, meddai'r gofeb dlos,
Yn ffeit Dic Ifas *versus* Dafi Jôs.

Ellen Macarthur

(a enillodd ras hwylio rownd y byd)

Merch y môr a meirch mawrion – diorwel
Eangderau Neifion
Yn herio grym daear gron
Am yr ias o ymryson.

Tywel

Y Groglith sychai wlithyn – Ei arlais
Sgarlad; dridiau wedyn
Mair, gan gwynfan, a ganfu'n
Y düwch gwag gadach gwyn.

296

Cornicyllod

(Dywedir eu bod yn prinhau'n rhyfeddol.)

Collais y cornicyllod – ac ofnais
　　Eu cefnu'n anorfod.
　　Ond uwchlaw wele gawod
　　Yn rhyw ddweud fod eira i ddod.

Yn troelli uwch y tir llwm, – a chodi
　　Ar ychydig reswm.
　　Awyrlu'r tymor hirlwm,
　　Criwiau'r cyrch uwch caeau'r cwm.

Callwib! Mae'n fwy fel colled – eu 'pi-wit'
　　Pitw wrth ddynwared
　　Ei gilydd, ond da gweled
　　Y cysgod uchod a hed.

Gwibiant, a'r rhai sy'n gwybod – yn honni
　　Gall hyn o ryfeddod
　　Ar fyr dro beidio â bod –
　　Callach yw'r cornicyllod.

Bu Farw Ifor Owen

Mab parch oedd ef ym mhob peth, – a'i alar
　　A'i hwyl yn gydgymhleth.
　　Heb elyn, fe fu'n ddi-feth
　　Yn bur agos i'w bregeth.

Llinynnau'r babell bellach
O bwyth i bwyth gan bwyll bach
Yn datod, a'r cysgodion
Yn ymyl lwyd am y lôn
O Dalar oedd yn arwain
Yn dawel i'r gornel gain,
Yn ôl at ei anwylyd
A'r rhodd a gollodd gyhyd.

Ffan

Yn nyfnder llawr y berllan
Ger y ffos rhoddais gorff Ffan,
Yr ast ffyddlonaf erioed
Yn nihoenedd ei henoed.

Cydymaith triw i'r diwedd,
Glew yn ei gwaith, glân ei gwedd,
Na noethodd ddant ar blant blin
Na chosbi gwalch o hesbin
Erioed, mor dyner ydoedd,
Ond ei hofn ar gathod oedd.

Drwy'r dydd gwyn fy nilyn wnâi,
Hi beunos a'm derbyniai,
Ac mwy nid yw'n gwmni'n dod
Ddyddiau haf gan ddyhefod.
Mae'r buarth heb gyfarthiad
A drws y tŷ yn dristâd.

Trois lygad dall tra gallwn
Ar lesgedd gwaeledd, a gwn
Ei bod hi'n maddau i minnau
Ar ddiwedd oes ei rhyddhau
Yn ei thro, i flawd ei thranc
Gynnal pren afal ifanc.

Brawdoliaeth

(Llun Aneurin Jones a gododd ddeng mil o bunnoedd i elusen)

Dwi'n nabod eu hwynebau
A golwg eu gwegilau –
Ni wn i ddim mo'u henwau.

Y rhain yw'r tri ohonof
A thithau, yn cynnau cof
A dihuno doe ynof.

Rhain yw cedyrn cawodydd
Awel fain ar ael fynydd
A brith gof am berth gyhudd.

Rhain yw dwylo'r hen dalent
Gyda'r fedel pan elent
Slawer oes i hel y rhent.

Hwy yw'n galar ein gilydd
A ddeil y don pan ddêl dydd
Yr hen waeau o'r newydd.

Y gweld sy'n ddeall i gyd
A'r amgyffred diddwedyd
Sy o fewn y wefus fud.

Cwmni'r cwrdd gweddi a'r Gair
A seiad Cerdd y Gadair,
A rheg a pheint ar ga' ffair.

Nid cadernid cau dyrnau
Yw un gwerin y gwarrau
Ond byw erioed i barhau.

Pe baem yn gasach pobol – fe fynnem
        Fynydd hynt yr ebol
    I weinyddiaeth dragwyddol
    Gwerin Aneurin yn ôl.

Hen Wirebau

Os yw'r cae yng ngolwg dynion,
Tria agor cefen union.
Ond os yw mewn llecyn unig,
Nid yw cefen syth mor bwysig.

Cymer bwyll, yn lân dy arad
Ac o'r marc na thynn dy lygad,
Neu fe fydd dy gwysi'n clapian
Dros ben clawdd wrth ardal gyfan.

Prin yw'r cnwd ar hafau sychion,
Ond mae'i fedi'n hwylus ddigon.
Pan fo'r cnwd yn drwm, fynycha
Bydd gyfatal y cynhaea.

Rhaid oedd mynd, yn fy llencyndod,
Draw i'w gywain cyn dôi'r gawod.
Ond yfory doed i fwrw
Mae 'na gwdyn mwy'n ei gadw.

Clywn gan rai rhyw siarad segur
Am ogoniant oes y bladur.
Ond does neb sydd yn ei chofio'n
Dewis gweld ei thebyg eto.